イナリコード
The INARI CODE

稲荷に隠された暗号

太礼道神楽伎流 宗家 丹阿弥
久世東伯

今日の話題社

イナリコード　目次

序章　11

第二章　稲荷にはどこか不気味さが漂う　73

第三章　稲荷は霊的シンボルに満ちている　111

第四章　伏見稲荷の伝承　231

第五章　イナリと深く関係する日本神話の秘教的解明　273

最終章　人類の未来に奇跡をもたらすイナリ！　319

序章

これは稲荷についての秘密の書である。と言っても、従来の稲荷信仰とは何も関係がない。また、ご利益が得られる手立てが記されてある訳でもない。もしそう思われてこの本を手にした方がいたとしたら期待外れに終らせてしまう。これを書いたのは、これまで誤解されてきた稲荷の本当の姿を明らかにしたい、それを書くことで、稲荷の奥の奥に隠れていたもう一つの稲荷、深遠で精妙で美しい次元の「イナリ」、その神秘の世界を知ってもらいたいと思ったからだ。そのことからこの本は、イナリの神秘なる世界の開示書、その案内書と言えるものである。

さて、ここに紹介する「イナリコード」の内容は、稲荷山の霊人、白翁老から口伝された直伝言霊（じきでんことだま）によるイナリ開示、太古の天地の玄理を記すイナリ奥伝（イナリ秘教）、そこに記されたイナリ秘符、荷田家の稲荷古伝、秦氏の景教がもたらした伊奈利神学、稲荷神仙道（神仙道・山岳修験道・山岳密教の影響下で形成）で構成されている。これらを総称してイナリ古道と呼んでいるが、これらはそれぞれが合わせ鏡のようになっており、これらを照らし合わせると、イナリの真実の姿が見えてくる。

ところで、伏見稲荷大社では、「稲荷山には正統な神々が鎮座しておられる」と説明しているが本当だろうか？　このことをどれだけの人が知っているのだろう？　また、稲荷を探求する中で、「稲荷の神々は古（いにしえ）の日本成立の鍵を握っている」と言った秘話さえも耳にしたが、本当なのだろうか？「イナリ開示」によると、その正統な神々すらも「イナリの真実を覆い隠す方便」であって、神々の名はそれぞれの神の働きを表すものであり、稲荷の神の名は「天地創成の玄理」と「生命創生の玄理」を例えたものだとある。

しかもその名に示された教えは、太古において、太平洋上にあった大陸文明からもたらされたものだとするが、このような話を果たして信じるだろうか？　さらにそれは、宇宙規模での生命の成立を説いたものだと言ったらどうだろう？　しかし「イナリ開示」によれば、それは確かだとするもので、よって「イナリ」は一般に言う稲作りに関わる神、稲魂（いなだま）、穀霊（こくれい）などの信仰とは異なり、遥かにスケールの大きい内容のものだ。それについての詳細は本編で述べたい。

そこで稲荷を探求すると、イナリは、西方のミトラ（ミトラス・ミスラ同体）教やペルシャのゾロアスター教、エジプトの秘教の英知からもたらされたものでもあり、それらの集合した秘教的な内容が原初の稲荷の実体、つまりイナリ（稲荷でも伊奈利でもない）であり、それがその宗教儀礼となっていくのだが、このイナリの秘教が後に神道の根幹をなし、神社を形成する雛形ともなり、世界にも稀な超越的宗教の誕生となる。

話はさらに西方に転じて、古代のエジプトからカナンの地に至ったヘブルの民（ヘブル民族＝古代イスラエル人）の中には「秘教伝授者（預言者）」がいて、これを「神の種人（たねびと）」と言うが、そのカナンの地に根を下ろしたヘブルの民は後に離散することとなり、一部の高い位の人々はその「秘教伝授者（預言者）」に率いられて東方に向かい、遂に日本の地に至った。その度重なる渡来によってもたらされた教え、その一つが景教（ネストリウス派の原始キリスト教）であるが、わが国に渡来した人々はヘブルの民だけではなく、彼らと共にエジプトの地を出たエジプト人、シルクロードの旅先で合流したペルシャ人、敦煌で同化した中国人などがいて、日本に定住した彼らは総じて秦（ハタ）と呼ばれ、その中の景教徒が伝えた教えが「伊奈利（イナリでも稲荷でもない景教の影響下での伊奈利）」である。その宗教原理に基づいた聖所の構造は、神社の形式として崇神の時代に全土に展開されることになる。ところが、その秦氏の中に景教より古い教えを持つ「秘教伝授者（預言者）」たちがいた。彼らはもともとわが国に存在していた山岳行者（イナリ神仙道）と融合し、「イナリ結社（原初のイナリ秘教団／預言者集団）」を形成した。後にイナリ秘教団となり、日本の地において、真人の道を歩む者の霊性を指導することになるのだが、その彼らの教えが「イナリ（稲荷でも伊奈利でもない、言霊であるところのイナリ）」である。

さて、ここに紹介する「イナリコード」の内容は、稲荷山の霊人、白翁老から口伝された直伝言霊（じきでんことだま）によるイナリ開示、太古の天地の玄理に基づくイナリ奥伝（イナリ秘教）、そこに記されたイナリ秘符、荷田家の稲荷古伝、稲荷古道（神仙道・山岳修験・山岳密教などの影響下で形成された）、景教がもたらした伊奈利神学などで構成されている。これらはそれぞれが「合わせ鏡」のようになっており、それぞれを照らし合わせると、イナリの真実の姿が見えてくる。

イナリの本当の姿は、一般の人たちが知っている稲荷とはまるで違っている。稲荷には次元の異なるもう一つの世界があり、そこは美しい光に満ちている。私はその光の世界を人々に伝えたいと思い、太礼神楽の教室を運営する一方、「イナリコード」と題して各地で講演活動を続けてきた。その講演の内容は、序盤に「稲荷の誤解を解く作業」、中盤に「イナリの真の世界を伝える内容」、終盤に「これから人類が迎えることになる宇宙時代、高次元界の人々の話」と言う流れになっている。この本もだいたいその流れに沿って話を進めている。

それではこれより先、どうか思いを凝らして読み進まれますよう。

朝は四本足、昼は二本足、
夜は三本足で歩く生き物とは何か？

白翁老の曰く、
「真実は隠すべきものでもなく、また秘されるものでもない。常に人目に触れているものであり、それを真実として認識するのは自分自身である。但し、守るべき何かを神聖に留め置く上で、俗界に奥秘し、守護すべき仕組みではある」

『神門は開かれた！』

〈言霊〉

いひかりの
いのちのりなる　いなりなる
いききよまりて　いのちなりなる

イナリ、初光の神性。
それ厳瑞和の三元、天地創生の初源とす。
またそれ、万命の根元をなす玄妙なる魂の造り主なり。
その神性、真澄を以て万物創生の象、胎中に秘めり。
これ「イナリノフトマニ」なり。
故に、イナリを極むれば命本来の神性に戻りて、
光与えたる者、命与えたる者となればなり。

イナリは『生命（イノチ）の創生玄理』を伝える教えである。霊魂がこの地球で肉体の生命を持つためには、「生命（イノチ）の創造的な過程」を必要とする。そしてその肉体が生命として生きるには「思念を込める作業」が必要なのだ。その過程、その作業を経て生命は地上界に誕生する。地球における創生活動は何も人間生命だけではない。何事にも思念を深く込める作業、言い換えれば、精魂を込める作業を経ることで、そこに命は生じ、それ自体が自らの命を意識するようになり、やがてそれ自体として活動するようになる。それは有機物を指すだけではない、無機物さえもその過程・作業を経て誕生するのだ。これを「イノチ ナリナル（命成り生る）」という。すると、思念を込めるのは誰か？という質問もありそうだが、その答えを知るには、始めの行の言葉に鍵がある。「霊魂が・・」という言葉だ。この霊魂とは誰を指すのか？ 神か？ 自分自身か？ そこに「生命の永遠」を知る手がかりがある。それこそがこの本のテーマだ。では、その答えを探す旅に出かけよう。

命の探求、自分探しの旅

人はその短い生涯を通じ、結局「自分探しの旅」をしているのかも知れない。「私って何？」、「私はいったいどこへ向おうとしているのか？」どんな人も、自らの人生の道を歩んで行く中で自身にそう問いかける時がくる。そのような問いを自らに向けて発しながらその進むべき道を探し求める。人の心にそんな思いが涌いてくるのは、この世に生まれてきた真の理由、自分の生きる価値、人生の目的とか自分が今後生き続けていくための証を見つけたくなったからかもしれない。

とは言っても、自分の本当の価値を見つけ出すのはそう簡単ではない。この三次元の世界はまるでパズルのようなもので、答えを見つけ出すにも、迷路のようになっていて、時間にも罠が仕掛けられていて、それらがあちらこちらに張り巡らされているものだから一筋縄ではいかない。はめ絵パズルのようでもある。それでも人生の目的や命の証を求める者には、その答えを導き出すための「鍵」がちゃんと用意されてあると言うのだから、この世界は何とも面白い！

迷走し、悩み、紆余曲折しながらも、その「鍵」を発見した時は、自らの生きる価値や人生の目的は解き明かされ、タイミングを合わせるようにイナリの光（生命の本質）が身体の内側から輝き出し、意識は変容を遂げる。生きることそのものが楽しくなり、その後の人生は愉快な世界になるだろう。

生きることは自分が夢見る物語

人はそれぞれに自分の物語をたずさえてこの惑星に生まれて来ている。その肉体に刻印された生命のコードを紐解きながら魂の扉を開いて行き、宇宙の壮大な物語を完成へ導く一つの生命体としてその一生を終える。

今、この惑星に起こりつつある生命の変容期。まだ見ぬ次元への移行。

その変化は、人類の歴史に新たな伝説を生み落とす機会となるだろう。
そう、我々はその新たな伝説の創造に加わるためにこの惑星を希求し、今という
この時代に、これから変容して行くすべてを体験するために、そして、ただこの瞬
間に居合わせることだけを目指して生まれてきた。
この地上を後にして、再び大いなる宇宙の新たな次元に旅立つために、我々の魂
は聖なるこの場に立ち会う。自らの生命の統合に向けて・・。

現実という夢、夢という現実

私は霊媒であった祖母から、夢見や予言が幾度となく成就する状況を見せられ、神道家であった祖父から、その祖母に降りた神霊を審神（さにわ：正しい神霊かどうかを霊査すること）している姿を目の当たりにしながら育った。私自身も夢と現実の交錯する中で日々を過ごし、「自分の見ている世界は本当に現実だろうか？」と十三歳を迎えた頃にはそのような思いを抱いたりするようになった。十七の歳に祖母と祖父が立て続けに亡くなり、初めて祖母の守護神とされた八大龍王の現れた備中岡山の足守山の足守池を訪ね、その後、祖父の修行の足跡を追って京都伏見の稲荷山を訪ねた。その時に私の疑問に答えてくれたのは、稲荷山で遭遇し、今では私の魂の師となった白翁老の言葉だった。

その白翁老が言うには、

「現実は夢でもあり、夢はまた現実ともならん・・」

これは、夢は夢を見るのみに終わらず、現実ともなり得るという意味である。私はその時、自分の目にしている光景があまりにも現実感がなく、子供の時のような感覚に戻っていたので、それが夢なのか?現実なのか?を知りたかった。

二十代の半ば頃から仕事で海外出張が多くなり、ある年に渡仏した時のこと。パリの郊外で知り合った老紳士から、古代西洋の秘教霊学を教授されたことがある。その内容には、白翁老が私に伝えた言葉を裏づけるような教えがあった。

「世界は多重次元で成り立っている。異次元と現実世界の共存。果たして次元の異なる世界など本当に存在するとあなたは思うか？　実は、私たちがこの目で見ている世界は一つではない。あらゆる次元が錯綜しており、様々な次元の重なりをもって展開している。やがてそれは深遠で神聖なる一つの原理に統合されて行くことになるのだが、このような話はすぐには信じ難いことだろう。また、摩訶不思議な世

界に思えるかも知れないが、それこそがこれまであなたが目にしてきた、そして今もあなたが目にしている世界なのだ」

というものだった。帰国してその内容を白翁老に伝えると、返ってきた言葉は、「それまさにイナリの世界なり」なのであったが、では、私たちのいるところはいったいどの世界が本当なのだろうか？　そのいずれの世界も本当だとするなら、自分に最も相応しい世界を選びたい。愛するものと幸福に過ごすために・・。

イナリの世界に踏み入ると、これまで見えなかった真実の世界が見えてくる。イナリは「魂の眼で光を見る」ことを伝える。白翁老は物事をよく見よ！と説く。手に掬った水の中に、頬を撫でる風の中に、街路樹の葉の擦れ合う音の中に、見上げた空の雲の中に、見上げた夜空の星の煌きの中に、暖をとる炎の中に、足元の土に、普段は気づかない自分の息づかいの中に、毎日顔を合わす人々の笑顔の中に、その瞳の中に、私たちがこの次元に生まれることになった理由、人間生命の真実の扉を開くための「鍵」が見えてくる。それぞれを注意深く、静かに見つめていると、やがてそれぞれは虹色の光彩を放ち、そのすべてから真実の光が姿を現す。このように目を徴らして、目の前の物事をよくよく観察していると、その「鍵」は私たちの日々の暮らしの中に秘されてあることが見てとれる。

「私は誰か?」それに対して、白翁老から「我即天」と言う答えが返ってきた。「自分は即ち宇宙」と言う答えなのだ。真の創造主は自分の中にいると言う。だからこそ、自分の進むべき方向は自分自身で選択できることになる訳だし、人生に意義を見出すのも自分自身である訳だから、自分の魂を束縛するものは何もない。自分の人生を自由に謳歌するだけだ。その方が人生としての意味は大きい。

白翁老は、この地球上で暮らす人生の本当の生き方をそう説いている。

白翁老は「イナリと生命の永遠性」についても触れている。

「イナリナル
イノリノリナル　イノチナル
イナリトワナル　イノチトワナリ」

「イナリの創造の祈りの働きがあってすべての生命は誕生し、イナリは永遠であるが故に、イナリが存在する限り生命もまた永遠に存在する」というものだ。
「永遠なる生命」の世界は目に見えない次元に存在し、そこに真の自分の存在がある訳だが、その世界を創造しているのは「フトマニ」と言う宇宙の玄理であり、それと同じ玄理の「夢見の法」がその次元に通じる唯一の道だと説いている。

太礼を説く師はこう語った

白翁老の曰く、

「フトノリを覚り、それを修め、神天のフトマニを得て、マナの氣を放てる者のみが、神聖で慈愛の光に包まれた美しい世界、トコヨに足を踏み入れることが許される。これが密かに伝えられてきた真のイナリの道、天地和合のアマナリの道、カンナガラなる古き道、その奥義である」

フトノリ（太礼）とは、天地の理に則って高次元の世界に参入する作法を言い、フトマニ（太真丹）とは、霊理・霊智と一体にあるところの光状の螺旋波動力、マナ（真名）とは、神性なる愛、アマナリ（天成）とは、天の理（宇宙の創成原理）、カンナガラ（惟神）とは、神のまにまに、神の御心のなすままにという意味である。

イナリには祝詞（ノリト）の本来の意味が示されている。祝詞の本質は言霊（コトタマ）とある。その始めに自らの意志で放つ言魂（コトタマ）があり、その言魂によって魂振り（タマフリ）が起こり、それが自らの内なるマニ（真丹・麻邇）を活性し、その活性を以て神能（カンノウ：神性の動き）が現れ、神天（霊宇宙）の活玄理である太真丹（フトマニ：布刀麻邇）から言霊（コトタマ）が発動する。この言霊が祝詞（ノリト）なのだ。また、神楽（カグラ）もその過程は同じだ。魂振り（タマフリ）から発動する神能（カンノウ：神性の動き）。その神能であるところの玄舞（ゲンブ：深遠で精妙なる舞）が本来である。これは古よりイナリに伝わる創生の玄理である「夢見（ユメミ）の法」を新たな次元に移行するための身体技法として応用したものだ。

ふるべ　ゆらゆら　ゆらゆらと
揺らかし給え　たまゆらは
ふるべゆさゆさ　ゆさゆさと
揺す振り給え　たまふりは
ふるえそくゆる　ふわふわと
しなりふわりと　まにゆらは
ささ　ゆらりしなりと　舞い給え

太古の話

人類の創生神話。天（宇宙）からこの星（地球）に降りた種人（地球人の原貴種）となった神々がいた。その方々は、後世の人々が自然との調和と共存の道を離れ、生きる目的をも見失ってしまうことを予知された。そしてその時が訪れると、生きる目的を見失った人々は己の命に疑いを抱き、生への疑問に対する答えを探し求めることになると判断した。

そこで種人らは、その疑問への答えを解き明かす生命の鍵を用意し、大八州（オオヤシマ：世界）のあらゆるところにそれを置いた。その鍵を見つけるには、直霊（ナオヒ：天通）と奇魂（クシタマ：英知）と荒魂（アラタマ：信念）の三つの霊の力をもって臨むことが条件となるが、さらに種人らは、その鍵を置いた場所を示す海図にあたる符図を聖なる山に隠した。また、その鍵を置いた場所の方位を示す羅針盤のような働きをする霊的神器も人間の体内に挿入し、これらを神話として文字に綴って解読書とした。それが「イナリ秘文」である。

これに記す内容は、その鍵を「イナリの鍵」、その鍵を置いた場所を示す海図にあたる図を「イナリ秘符」、その羅針盤のような働きをする霊的神器を「マニ宝珠」としている。この比喩に満ちた人類の創生神話を開示したのが「イナリ開示」則ち「イナリコード（稲荷に隠された暗号）」である。

ところで、伏見稲荷大社に詣でると、境内には「稲荷の鍵」をくわえた稲荷狐がいるが、その鍵の真意は誰も知らない。知りたくても知りようがないからだ。また、その口に玉をくわえたものも、巻物をくわえたものもいる。これはいったい何を言わんとしているのか？　このように稲荷は秘教のシンボルに満ちている。秘められたその謎を解く神器が「稲荷の鍵」でもあるのだ。では、その本当の意味をこの書「イナリコード（稲荷に隠された暗号）」で解き明かしたいと思う。その前にまず、私がかつて出会った「稲荷山の老翁」の話から・・。

第一章

稲荷山の伊奈利の謎

稲荷山で遭遇した奇妙な老人

かなり昔の話。私は亡き祖父の足跡を訪ねて、京都の稲荷山（伏見稲荷の神体山）を訪ねた。何度か登拝している内に山中で奇妙な老人と遭遇することになった。

京都伏見の稲荷山

稲荷山の山腹で出会った老翁
（イメージ画像）

その老人に素性を訪ねると、この山の縁者だと言う。それを聞いて私は思った。

——あ〜、杣人（ソマビト）さんかあ・・。——そう心の中で呟くと、

『否（いな）、吾（われ）それに非（あら）ず。古より麓の者は口々に云う。吾（われ）をして、それ仙人だの、それ天狗、それ山の精霊やも知れぬと。然（しか）しながら、吾（われ）その何（いず）れにも非ずや』

そういう答えが返ってきた。その老人の風貌はと言えば、まあ、人から色んな憶測が生じてくるのも無理はないような容姿であり、顔には長い白髭を蓄え、その髭は顔のほとんどを覆っており、お腹の辺りまで長く伸びている。手には二メートルはありそうな仙杖が握られていて、全身は白い衣ですっぽりと包み込まれていて、裾は足首まで届いていた。その格好で山腹をスローモーションのように歩いている様子を人が見れば、誰だって普通の人間とは思わないだろう。

そんなこんなで頭の中がグルグルと回っていると、また次の言葉がやってきた。

『神御祖（かむみおや）、太元尊神（うもとがみ）この地に天降（あも）りて、当山に縁（えにし）結びたる後、山ノ神と変じて吾（わ）が御祖（みおや）の前に御顕（みあ）れり。吾（わ）が家筋は代々その山ノ神の使いを担う者、吾（われ）はそれなり』

昔風の言葉づかいなので少し理解し辛いが、もちろん私はよろし過ぎる訳で、了解の旨を伝えると、老人は静かに山を降りて行った・・と言うか、山を下るその姿を目で追っている内に先でフッと消えたのだ・・。

白翁老

故・兵頭達夫氏作

かなり月日が経ってのことになるが、その老人のことをよくよく考えてみると、あの老人は稲荷山に縁のある山岳行者のように思えた。おそらく行者だろう。行者なら不思議でも何でもない訳で・・。でも行者でないとしたら何なんだ？ いや、行者は行者でも人間でないとしたら私が見たのは霊か？ そんな馬鹿な！と・・思ったが、この山との縁があり、行者であって人間ではない者がいるとすれば、思い当たる人物はもう一人しかいない。でもそれが事実なら今はもうこの世の人ではないからやはり幽霊な訳で・・幽霊?! いや、そうではないだろう。思えば神々しい風格だったので迷える霊には見えなかった。だから幽霊であるはずがない。幽霊ではないと決まれば、今後のお付き合いはしやすい・・か。

さて、その思い当たる人物とは「龍頭太（りゅうとうだ）」である。稲荷山の祭祀を古代より司ってきた二大神官家の一つに荷田氏があり、龍頭太はその中興の祖にあたる人物だ。「荷田龍頭太（かだりゅうとうだ）」と言う。今はもう過去の人だから当然この世の人ではない。つまり、老人は生身ではないのだ。だからと言って幽霊と言う訳でもない。霊には違いないが・・まあ言うなれば化身（けしん）なのだ。化身と言うのは、何らかの事情があって因縁のある霊が何らかの形に仮託して現れるという意味である。しかしその老人が本当にその荷田龍頭太なのかどうかは分からない。そこで私はその老人の名を知ろうと思い、登拝する度に尋ねたが、いつもはぐらかされてしまって、老人はなかなか名を明かさずにいた。それでも三年の月日が流れた頃、やっとその名を教えてもらうことができた。でも、教えてもらった名は仮名だった。

『其方（そなた）は吾（わ）が名をさぞや知りたかろうな？　ならば白翁（はくおう）とでも言うておこう』

「とでも言っておこう」と言うのだから、それが仮名であるのは誰が聞いても分かる。おそらく私心（わたくしごころ）を持たぬ老人にすれば、名などどうでもいいのだろう。老人にとって名は自らを呼ぶ者へのお約束事のものでしかなく、その便宜上の他は必要がないのだ。それはそれでいいとして、私はその時から敬いの念を込めて、「白翁老（はくおうろう）」と呼ぶことにした。老（ろう）とは、古代中国においての神仙思想やタオ（ダオ・道）で呼ぶところの「師」を表す。まあ、そう呼んでも、老人にしてみればそんなこともどうでもいいのだ・・。

ブローニュの森で出会った老紳士

その白翁老に遭遇した頃、私は某広告会社のディレクターの仕事をしていた。ある時、某アパレルメーカーからファッションの広告制作の依頼を受け、そのロケ撮で私はパリに滞在することになった。そのモデル撮影のオフ日に友人とテニスをしようという話がまとまり、仲間を誘ってブローニュの森に出かけた。

ブローニュの森

事件は（事件と言うほどの出来事ではないが、私の人生に変化をもたらしたのだから、やはり事件か？）テニスコートの施設のあるその公園で起きた。その事件というのは、その公園で、ある老紳士に出会ったことにある。その老紳士との会話を通じて、私と稲荷との縁がより深く結ばれることになったのだ。

この話を聞くと「え？パリで稲荷？」と変に思った人もいるだろう。その通り。なぜわざわざパリで稲荷の話になるのか？ 実はその老紳士の口から日本の神道の話が出て、それが稲荷の流れになったのだ。私はその老紳士にどこか懐かしさを感じた。

聖堂

何日かしてその老紳士に誘われ、セーヌの河沿いにある某聖堂に案内された。そこは地下にあり、公にされることのない秘密の場所らしい。その聖堂内には祭壇があって、その正面の壁には神聖図形が掲げられており、老紳士はそれを仰ぐようにしながら奇妙な動作を始めたかと思うと、こちらに背を向けたまま祈祷文を唱え始めた。やがてそれを終えるとおもむろに口を開いてこう言った。「実を言うと、私は古代キリスト教より以前の古い起源をもつ秘教団のマスターだ」。

そのことを聞いてもその時の私には何のことだかさっぱり分からず、頭の中はパニクっているから話は右から左だ。その老紳士の声以外は物音一つしない、人の息づかいさえも聞こえぬ静まり返った聖堂内で私は神経を研ぎ澄ました。すると背後から近づいて来る影を察知したが、その影に私は目隠しをされた。その影は何も言わぬまま、私に第一イニシエーションを受けさせた。その頃にやっと聖堂内に祈りの声が響き渡り始めた。ところで、イニシエーションとは「秘儀参入における通過儀礼（死と再生の儀礼）」のことであり、その第一目的は、霊魂が肉体に宿ったままの状態で「死と再生の秘儀」を体験することにある。

そんな妖し気な儀式を受けさせて、私をいったいどうしようというのか？

いや、その後は、日本に帰ってからも生活には何も変わりがなかったのだが、変わったことが一つだけある。その儀式を受けたせいかどうか分からないが、物事に対する価値観が大きく変わったことだ。これまでは経済に重きを置いていた自分が、精神面に重きを置くようになったことだ。その傾向になってから驚いたのは、幽体離脱が頻繁に起きるようになったことにある。そんな中で、私は海外の仕事も含めてそれまでの職業から身を引くことにした。もちろん、その霊団からも離れる時が来た。そこで別れを告げようと老紳士に近づくと、老紳士から信じられないような言葉が飛び出した。

「あなたにぜひ伝えねばならないことがある。それは、我々に伝えられている教え（古代キリスト教も含んだそれ以前の霊的秘教）は、日本に伝えられている神道とルーツは同じである。但し、日本には書では残さず形象をもって伝承される」。

というものだった。そこで私は、祖父が神主だったことも話しておこうと思い、

「私の祖父は京都の伏見という地にある稲荷山で行をした神主だったのです。それで私もしばしばその聖なる山に参拝して祖父の姿を偲んでいると、隠者のような山の霊人と出会うことになり、不思議な体験をさせてもらっています」。

と伝えると、少し考えている様子だったが、

「そうでしたか。まあ稲荷が神道であってもそこには近づいてはなりません」。

とだけ言葉を残し、その場を立ち去って行った。とても不愉快な思いをしたが、でも私は、元来のアマノジャクな性分なもので、ダメだと言われると余計に、

――それならば、稲荷が何なのか？　とことん探求してみようではないか！――

という風になってしまう。でもこのことが発端となり、帰国後間もなく私は、稲荷山に足しげく通い、本格的な調査を始めた。だがそこで目にしたものは、私が想定

していたそれとは違い、その本質は遥かに深遠で神聖な世界だった。稲荷の真の姿に私は出会うことになったのである。ひょっとしてその老紳士は私の性分を見越した上で、稲荷には近づいてはならないとわざと告げたのか？　案外そうなのかも知れない・・。

再び稲荷山へ

稲荷山

パリで出会った老紳士の警告のお蔭で、私は再び伏見の稲荷山へ足しげく通うことになるが、それと同時に、白翁老の方からも私のもとに姿を現すようになる。
例えば、私の自宅の玄関先に立っていたり、夜遅く自宅の書斎に突然現れて、神棚のロウソクに火を点し、その火をじっと見つめていたり、オフィスでは、天井の方向から「筆と墨」という声がしたので揃えると、頭の中に「仙桃」という文字が浮かび、その文字を書かされたり、夜中まで仕事をしていた時は、ドアをスッと通り抜け、私の体をすくい上げたかと思うと見たこともないような険しい山に飛行して行き、その山頂で武と舞に共通する回転技法の手ほどきを受けたり、仙人体操とも呼ぶべき技を伝授されたり（現在は十字舞と呼んでいる）、別の日には、天地和合の統一法である太応礼（たいおうれい）や、神我一体を促す聖太陽十字印を教授したりと、現実と夢見（ゆめみ）との狭間で大変だったが、その甲斐あって、そのようなやり取りの中で「太礼（ふとのり）の道」という、これまで公にされなかったイナリ奥伝を教わることになった。

　イナリは本来、「愛法（あいほう）」を伝えるのだが、この「太礼（ふとのり）の道」と言うのは、「イナリのフトマニの教えに基づく天地和合（てんちわごう・アワノヤワシアエ）」、「愛氣（あいき）柔（ヤワス）の道」を伝えるものである。合氣道の創設者である植芝盛平翁は晩年、合氣神楽としてその道の実践を試みたが、私も太礼神楽を以てその道の実践を試みている。ところで、私とサルタヒコ（猿田彦命）との縁は深いが、植芝翁の守護神はサルタヒコ（猿田彦命）だったと聞いている。

私が師と決めた時から白翁老は、イナリ（稲荷古伝・伊奈利）の教えを魂の言葉（この魂の言葉を私は言霊と理解している）をもって私に伝えるようになった。魂の言葉つまり言霊は、どのようにして私に伝えられるのかと言うと、まずは微妙な波動が体全体に感じ（皮膚近くで感じるフィーリング感覚）、次に言葉が脳裏にイメージとしてのトータル的な感覚（全体観）で、しかも直感的な速さで（瞬時の閃きの感覚）言葉（文字ではない）が納まるという流れだ。このようにしてイナリ開示（イナリ秘教の開示）は行われた・・。

これより以降は、言霊によるイナリ開示がさまざまな形式で登場し、その内容を稲荷古道や伊奈利神学、さらには秘教霊学、古代の文献に照らし合わせながら読み解いて行くやり方で進めたいと思う。

さて、その白翁老の曰くに、

『稲荷はイナリにて文字にあらず。それ則ち命成り生る。命は霊にあり。霊は思いにありて言を生じ、故に言は霊なり。思いは霊にして言を発す。故に象（カタチ）御現れる。言霊（コトタマ）は是なり。故に象は言霊なり。イナリは言霊、天地（アメツチ）を創り成す太元神象（フトモトノカムカタ）、万霊万物の造り主、天成（アマナリ）の神璽象（カムシルスミアレカタ＝カタカムナ〈象神名〉と同じ語意）。イナリの布刀麻邇（フトマニ）は是なるぞ』

イナリの文字にとらわれてはいけない、イナリは命であり、霊でもあると言う。霊とは思い、思いは波動を生じ、思いの波動である言葉は霊そのものである。イナリが稲荷と記される以前の、さらにその稲荷が伊奈利と記される以前より、音のみで伝承するイナリがわが国にはあった。イナリは言霊。太古より伝わる天霊地命を造り成すフトマニ。天と地を言祝ぎ、和し調える言霊の教えである。

イナリ秘教では、言霊が発せられると同時に象霊（カタダマ）も動き出し、それに相応するように形を成すと説く。また、天地創造をなすすべての元となる神の宇宙図、神璽象（かむしるすみあれのかた）、つまり、フトマニノミタマ（布刀摩尼御魂）は、カタカムナの元だと言う。続けて白翁老は「イナリ」を次のように説いている。

『アメツチ（天地＝宇宙）ノ
ヨロモノ（万物）ツクル（創成）フトタマ（太霊＝宇宙霊）ノ
ウカ（大日＝霊太陽）ミヒカリ（神光）ガ　ウツシヨ（顕世＝現界）ノ
ヨロモロミカゲ（森羅万象）ニ　イブキ（息氣）モテ（以て）
フキコミ（吹込）ハナチ（放）テ　イノチ（命霊）ナス（成す）

アメ（天＝霊空）ニツクタマ　イクムスヒ（生久産霊）
クニ（地＝質量）ニツクタマ　タルムスヒ（垂留産霊）
ヒト（人＝肉命）ニヤドリタルタマ（宿霊＝霊止）タマツメノ
ムスヒ（魂詰産霊）ナリナル（生成）　イノチ（生命）ナル
カムヒ（神火）　タマヒ（魂火）ト　ナリ（成就）タマフ（給）

コレ（是）

スベナルウチ（宇宙全容内）ニ　ワキイヅル（湧出）
ワクムスヒ（和久産霊）ノミワザ（御業）　ナレバナリ（成也）

マタ（亦）
アメツチ（天地宇宙）ヲ　ナラシムルコトタマ（言霊）
アメツチ（天地宇宙）ヲ　テラシ（照）マスイヒカリ（威光）ニアリテ（顕現）
アマナ（宙穴）ヨリ　オトナシ（無音）ノワザ（業）モテ（以）
ウヒ（初）トナス（成就）

サレバナリ（然也）
ウオアエイナル　ヒビキ（響）アメツチ（天地宇宙）ノ
ウヒノミナモト（初源）　イデタチ（出発）テ
ナリナリ（鳴鳴）テナル　ミカゲ（御影＝神姿）ミアレリ（顕現）

コレスナワチ（是則）　アマナリ（天成＝天地自然）ノ

タマツメムスヒ（魂詰産霊）ガ　コトワリ（玄理）ノ
イツコト（五言）ツヅム（約詰）　ウヒノヒトイキ（初一息）
ソノムネ（宗根）ヲ　ナシマスタカマ（高天）　イネ（命根）ナルヲ
クニ（地）ニアモリ（天降）シ　ウカミタマ（宇迦之御魂）
ユヘニ（故）イナリ（命生）ハ　コレニアルナリ（是有也）』

これを要約すれば、イナリは生命の根源をなす至高の領域からの働きであると説いている。この内容は、宮中の八神殿に祭られる八神とも関係してそうだし、石上神宮で奏上される布留倍之祓（ふるべのはらい＝十種大祓：とくさのおおはらい）の祝詞とも関係がありそうだ。続けて白翁老は、私に次のような課題を与えた。

『是の境内、山中における稲荷に関わる物形（モノノカタチ）を拾い出すが宜（よろ）しい。次にその物形（モノノカタチ）が何を言わんとするものか、それを心の奥に深く沈め置き、よくよく思索されよ』

つまり、伏見稲荷の境内やその山中には様々な物が置かれ、また形があるが、それらに注意し、それらが象徴している意味を深く考えるようにとの内容だ。

「白翁老（はくおうろう）」は、イナリの秘密の扉を開ける鍵をウタに秘めた。

「イナリノリ
イノチイヒカリ　イヅイブキ　アワナルヒビキ　ナリナリテ
アメニウネリシ　フトマニノ　ウラヲナフユヘ　ウツシヨノ
モノミアレスル　コトワリト　イニシヘヨリノ　ツタヘナリ
イメミトハコレ　モノノナル　スベノキハミト　ナスガナリ」

これは、「イナリの玄理は、生命の威光、威厳ある呼吸、天地初発の音霊の波動をもって成り生じ、宇宙に躍動するフトマニが、肉眼では見えない（真の）霊領域から言・象・数の神秘の編み成しによって、この現象界（三次元物質界）に物質化が成される創造玄理であると古より伝えられている。これを夢見の極致となすもの」という意味である。イメミの「イメ」とは古語であって、「ユメ（夢）」のことを指し、古代において「夢見（イメミ）」とは「命（イ＝イノチ）の目（メ）をもって森羅万象を観じる法」を言うものである。因みに厩戸皇子（後の聖徳太子）はイナリと縁が深い。仏教の守護者であって、彼自身も仏教者であったとされているが、その実、イナリ秘教の伝授者であった。皇子は夢殿において、「夢見の法をもって天地宇宙の霊的マトリックスを調整すること」をおこなっていた。この夢見の法はイナリの奥義である。厩戸皇子（ウマヤドノミコ）はこの夢見の法を実践していたのだ。

イナリの光はその根源において
大いなる神聖なり。
またそれが神聖なればこそ、
深遠なる純粋性を内包せり。
それ則ち「イナリノフトマニ」と云う。
故に、イナリを極むれば命本来の
霊性に戻りて、光を与える者、
命を与える者となれり。

「イナリ」は、弘法大師（空海）が「伊奈利（いなり）」を「稲荷（いなり）」として表記し直した年代よりも遥かに古くあったとされている。それは「イナリ」が「伊奈利（いなり）」の表意文字で記された時代よりさらに古代に遡る言葉とする。「イナリ」の祭式は本来「神籬（ヒモロギ）」「磐境（イワサカ）」であるが、それは縄文期の人々である「アラハバキ」と酷似する祭式が見られる。それは当然と言えば当然で、稲荷山はアラハバキの神を奉る山、則ち、龍蛇の神の依り代としての神奈備（カンナビ＝神が寄り来てその依り代とする）の山だったのだ。つまり、アラハバキとは龍蛇神を奉じた原初出雲を形成した海人族のことだったのだ。

この信仰は、太古、太平洋上にあった初源の生命の息づく「常世国（トコヨ）」と呼ばれた高度な精神文明の遺品とも言うべきもので、祭政にしてもその文明における「天成理（アマナリノコトワリ）」、つまり、直観的自然科学によるもので、それは「神璽象（カムシルスミアレノカタ）」という宇宙玄理からくるものであった。

「イナリ」はその後、渡来した賢者などによる西洋の秘教との融合によって、その神秘性がイナリに反映し、イナリ秘教霊団の「イナリ秘教」が形成され、その秘教霊団の現界での出先機能として組まれた稲荷結社（命奈〈イナ〉を荷なう神組手組織＝永遠なる生命の果実〈生命樹に示された人間の霊が神に至る真理の実〉の秘儀を現界に施行する役目を担う者の集団）の誕生となって行く・・。

イナリはナザレのイエスか？

稲荷というのは実に不思議だ。稲荷は色んな宗教の影響を受けている。最近では、稲荷神道の本質は景教（けいきょう）、あるいは原始キリスト教だったのではないかという説が有力になっている。その根拠の一つとして引き合いに出されるのが「ＪＮＲＩ（インリ）」である。日本・ユダヤ同祖論が語られる時、「ＩＮａＲＩ（イナリ）の語源はＪＮＲＩ（インリ）である」と主張する人が必ず出てくる。果たしてＩＮａＲＩ（イナリ）とはＪＮＲＩ（インリ）なのだろうか？

ところで、キリストと言えば十字架だが、これまで稲荷山の山中や稲荷大社のどこを探してもその十字架を思わせるシンボルなど見つからない。キリストと稲荷は本当に関係があるのだろうか？　ところがあったのである。それは意外なところからの発見だった。それは十字架ではないが、イナリに当てた字の「伊奈利（いなり）」と、稲荷大社創設の由緒となった「白鳥伝説」の二つだけはキリストを暗喩するものであった。前者は荷田氏にまつわる伝説、後者は秦氏にまつわる伝説である。秦氏にまつわる話は後ほど詳しく述べるので、その話は《稲荷の総本山・伏見稲荷大社の伝承》の章に譲りたい。

キリストの磔刑

荷田家には「ウカノミタマ（宇迦之御魂）の図」という秘図が伝わるが、その図に描かれた「龍頭太（りゅうとうだ）」と呼ばれる荷田氏の祖神の姿を文字に当てた

「伊奈利（いなり）」は、ヘブルの民（ヘブライ人＝古代イスラエル人）の得意とした会意文字である。説明をすると、「伊」は「人が杖を持った姿」を表し、転じて「長老」、「天の御使い」、「賢者」の意味となる。「奈」は「西洋赤梨」のことで「赤い林檎」を指し、意味は「知恵の実」を表す。この果実は旧約聖書に登場する「知恵の実を食べてエデンを追われた人間」を象徴している。また「奈」にはもう一つ、「生け贄」の意味がある。この二つを考え合わせると、犠牲死を以て人間の魂を救済するキリストの秘儀、「購い（あがない）の知恵」の意味になる。そして「利」は、「稲穂と鎌」の合わせ文字で「刈り入れ」を表し、その意味は「熟した生命、準備された魂を迎え入れる」となる。これらを総合してみると、「天の御使いは、生命の復活（永遠なる生命の世界、理想次元への転生）を受け入れる準備を終えた魂（覚悟した心にある地上界の人間）を迎え入れる」という意味になる。これを見ると、イナリ（ＩＮａＲＩ）とはやはりＩＮＲＩ、イエスになるのか？

ＪＮＲＩはJesus Nazarenus Rex Iudaeornの頭文字をとったもの。ラテン語である。意味は「ユダヤ人の王 ナザレのイエス」の略である。

その文字は十字架に張り付けられたキリストの頭上に掛けられた板に記された言葉だ。Jesus は Iesus とも書くことからJNRIはINRIとも記すが、同じ意味である。そして、Jesus Nazarenus Rex Iudaeorm をヘブル語で表すと、「Yeshua Ha-notzri We-melech Ha-yehudeem」となり、この頭文字を並べるとYHWHとなる。則ち、INRIは、神聖四文字のYHWHと同意ということになり、これはイエスがヤハウェと一つであることを暗示している。

さて、ここからが問題の部分。このJNRIがJNaRI（イナリ）の語源だとする説だ。さあ、この異説の真意は果たしてどうなのだろう？　シルクロードの西方の国で成立したキリスト教とその東方の果ての国で成立したイナリ神道。この二つは一見、似ても似つかぬものだが、イナリのルーツはイエスキリストなのだろうか？　伏見稲荷の創建に関わり、代々そこの祭祀を司ってきた秦氏は朝鮮半島から日本に渡ってきて帰化した一族とされているが、そのルーツは、現在ではユダヤ人と呼ばれているヘブルの民（ヘブライ人＝古代イスラエル人）ではないかと言われている。ではヘブルの民（ヘブライ人＝古代イスラエル人）が日本に残した足跡らしきものを取り上げてみよう。

まずは松浦静山（まつらせいざん）の著述『甲子夜話（かっしやわ）』を見てみよう。日本・ユダヤ同祖論者や稲荷の研究者たちの間では「羊太夫の話」としてよく取り沙汰される奇談である。松浦静山は江戸時代後期の平戸藩主であったが、藩主を退いての隠居後、当時の大事件や社会風俗、他藩や旗本に関する逸話、人物評、海外事情、果ては魑魅魍魎などに関する執筆を手がけ、学者となる。文政四年十一月十七日（一八二一年十二月十一日）の甲子の夜に書き始めた随筆なので、『甲子夜話』という表題がつけられた。因みに、「甲子（かっし・かし）」とは、干支の一つで古くは甲子（きのえね）と言った。甲（きのえ）は木性、子（ね）が水性を表し、二つの相生は水生木（水は木を生かす）の関係にあることや、干支の組み合わせの一番目と言うことから甲子の日は吉日とされた。その吉日である甲子の夜に記した著書なので「甲子夜話」と言う。

さて、その『甲子夜話』だが、その話には次のような内容が語られている。

『群馬県上野村に多胡羊太夫なる人物がいて、その人物の碑には和銅四年（七一一）

三月の年号とJNRIの文字、その下には十字架が書かれた古代碑文があった』

といった内容が書かれてあるのだが、この記録が事実なら大変な問題となる！　和銅年代と言えば、三年には飛鳥の藤原京から奈良の平城京への遷都があり、その遷都から奈良時代（平城時代）がスタートし、その五年には太安万侶による古事記の完成があった。和銅四年はその中間の年で、元明天皇が在位している時代である。元明天皇は天智天皇の皇女であり、天武天皇と持統天皇の御子・草壁皇子の正妃となった人物とされる。そのような時代に羊太夫のその碑文は記されたのである。では、その羊太夫とはいったいどんな人物だったのだろう？　羊太夫は群馬の人で、本名が羊だ。八世紀初頭に朝廷より郡司（郡の長）として群馬の地を治めよと命じられた人物だとされる。その羊太夫の物語がこれだ。

「羊には駿馬（しゅんめ）と小脛（こはぎ）という忠義な二人の家来がいた。羊はその駿馬に乗り、小脛はその横で並走するという形で、二日ほどで朝廷を訪れ、また戻って来るという、誰も真似のできぬ早業ができた。仕事の能力も優れ、忠実な働きぶりなので、天皇から絶大な信頼を受けていた。また、誠実な心で那（くに）を治めるので、人々から羊太夫と呼ばれ慕われた。ところがある日、小脛の寝ている姿を見た羊は、その脇に生えている羽を発見し、奇妙に思ってそれを抜いてしまう。実は、小脛の足の速さも、駿馬の足の速さも、その羽があってこその能力で、それからは小脛も駿馬もその能力を失い、それがあった後日から羊は朝廷に通えなくなってしまった。朝廷に出仕できなくなった羊は謀反を疑われ、羊は誤解を解こうと努めたが朝廷は許さず、兵を向けたので、対戦せざるを得なくなった。当初から多勢に無勢であったから負け戦となり、最後に残ったのは羊と小脛だけになった。そこで小脛は羊を大鳥に変身させ、自らもその正体を現し、大鳥となって空へ飛び去って行った」

という話である。群馬のその郷の民は羊太夫の人柄と功績を偲び、その記念としてその多胡碑を建てたとしている。さて、この物語で重要な部分は「羊」と「大鳥」にある。と言うのも、キリスト秘教学では、羊は「キリスト聖教徒」、大鳥は「天使」を象徴するものだからだ。

他にもキリストに関する話はある。青森県の戸来（ヘライ）村もその一つだ。戸来はトライではなくヘライと読む。ヘブル人は渡来者であるからトライと読むようにしてもおかしくはないが、とにかくヘライと読むのだそうだ。ということなら、ヘライはやはりヘブルなのだろう。古代中国の景教では、ダビデを大秦と記したぐらいなのだから。

それでその中国読みの大秦（ダビデ）だが、これと大変よく似た地名が京都にもある。太秦（ウズマサ）だ。太秦（ウズマサ）は、日本に帰化を果たした渡来人の秦氏が本拠とした地である。秦氏は景教徒のユダヤ人だったのではないかと言われており、その秦氏の指導者であった秦河勝の邸宅跡は御所だったとされている。おまけに、太秦（ウズマサ）にはダビデを暗示させる大避（ダビ）神社まである。現在は、この大避をオオサケと読み変え、大酒（おおさけ）という文字に変えて大酒神社としてはいるが・・・。

という訳で、ヘブルがヘライになっても別に変ではない。戸来村はかつて戸来郷と呼ばれ、その戸来郷が後に戸来村となり、現在は青森県三戸新郷村大字戸来となっている。

この新郷村にヘブルの民（ヘブライ人＝古代イスラエル人）の風習と思われるものが残っていて、有名なのが「ナニャドラヤ盆踊り」である。この民謡をヘブル語で解くと進軍歌にあたると言う。また、この地にはそれの裏づけになるような証もある。イエスキリスト（和名：天空坊太郎）の墓だ。まあ、これは少々怪しい。とはいっても、火の無いところに煙は立たずで、そうなった根拠を調べてみる価値はある。

それはそうと、京都には先ほどの太秦の他にも、古代のユダヤに関わるような場所がある。それは祇園だ。ここには意味深な日本の風習が継承されている。この地は毎年七月十七日に祇園祭りが施行され、この祭りに代々関わる地元の人々は堂々と「これはユダヤのお祭り（過ぎ越しの祭り）だす」と堂々と言ってのける御仁がいるから驚きである。でも確かにそうなのだろう。

と言うのも、旧約聖書（創世記）に記される七月十七日は大洪水を逃れて海を漂流したノアの方船がアララト山へ漂着した年でもあり、その同じ日に、まるでそれに合わせるかのように四国の阿波（徳島県）の剣山本宮「剣神社」では、剣山の頂まで神輿を担いで登拝するという風習が今なお続いている。因みに、ノアが建造したその方船（はこぶね）をアーク（ark）とも言うが、これはヘブルの民（ヘブライ人＝古代イスラエル人）が奉じた聖櫃（せいひつ：モーゼの契約の箱）と同じ読みであり、行方知れずの聖櫃を「失われたアーク（Lost Ark）」と呼ぶように、聖櫃の読みもアーク（ark）である。その聖櫃が四国の剣山に奥秘されていると主張する民間研究者もいる。このような祭礼内容と日付の奇妙な一致を見ることからも、日本とヘブル（ヘブライ＝古代イスラエル）は並々ならぬ関係にあるようだ。

そのようなことが古来より人々に語り継がれ、そのような思いが今も遺伝的に人々の中にあって、それがどれだけ時代を経ても人々の中にしばしば蘇ってくるとすれば、それこそが日本という風土であり、日本人の魂なのだと思う。古代の日本と古代のイスラエルの関係を解き明かす鍵、それこそが古の文書に記された伊奈利（イナリではなく稲荷でもない伊奈利）なのである。

第二章

稲荷には　どこか不気味さが漂う

稲荷は誤解されている。
稲荷の赤い鳥居と白い狐の真実!

昭和の終わり頃から平成にかけて生まれた人たちは、「稲荷が祟り神」であると言われてきたことを知らないと思う。それでも「稲荷が商売繁盛の神様」とか「ご利益信仰の神様」というぐらいは知っているのではないだろうか? 昭和の中頃までに生まれた人たちにとって、稲荷にはあまりいい印象を抱いてないのではないか? 前に述べたが、稲荷山で行をした神道家を祖父にもつ私でさえ、稲荷が商売繁盛の神様と言う程度は知っていても、祟り神であるところまでは知らず、伏見稲荷を初めて訪ねた時、境内の狐の像を見てあまりいい気分ではなかったし、それにもまして、山頂まで続く道にも狐の像がやたらと目につき、もう気味悪くなって、一度は引き返したほどなのだから・・。そしてその時に初めて知ったのが、稲荷神社の門番は狛犬ではなく狛狐（コマギツネ）?なんだということ。

それにしても、どの狐も口が裂け、目が吊り上がり、どこか妖し気で、何やら恐ろし気な雰囲気を漂わせている。そんな狐がこんなに多くてはそこに神様がおられるなんてとてもじゃないが思えない。「祖父はこんな不気味な山で本当に行をしたのだろうか？」と・・稲荷信仰の御方には申し訳ないが疑ってしまった。私が初めて伏見稲荷を訪れた時の印象はそんな感じだった・・。

稲荷山への数回の登拝はそこの霊人との遭遇をもたらしたが、後に渡仏して、パリで知り合った老紳士から、「稲荷には近づいてはならない！」という厳しい警告の言葉とその穏やかな雰囲気とは相容れず、そこは確かに思案のしどころだった。

初登拝の時は、近づいてはならないと言う意味が了解できる状況であったし、言われなくてもこちらの方からお断りと言った感じだった。でも、月日が経つと初登拝の時に感じた暗い印象は次第に薄れ、前述したが私は生まれつきのアマノジャクな性分だから、老紳士に警告されたことがかえって反対方向に私の心を向かわせることになった。つまり、そう言われたらなおさらのことで、ならばとことん調べてやれ！と言うことになり、伏見稲荷を再び訪ねることにした。

ところがだ。いざ近づいてみるとどうだろう。以前と感じが違う。それも峰々の頂上は何とも清々しい雰囲気が漂っている。

「ハテ？　これは・・いったいどういうことなんだ？」そんな疑問を抱きながら、稲荷の探求を深めていくようになった・・。稲荷の老翁と接触する回数がますます多くなり、そこで遂に「イナリの実相」を知らされることになるのだが、それは一般の人たちが知っている稲荷とはまるで違うものだった。

その一、清祓いを忘れられた稲荷社（稲荷祠）

「稲荷」は「稲を荷なう神の姿」から付いた文字だが、いつしかそれとは違う祟り神のイメージがその文字に重ねられていく。そのことから稲荷の祠も何となくそんなイメージが定着し、陰湿な感じを受けるようになっていく。しかしそうなったのは、やはり不気味な神狐の様相に主な要因があったように思う。本来のイナリの世界は、そのような稲荷のイメージとまるで掛け離れており、「常世（トコヨ）」という麗しの国」の流れからなる清らかで美しい世界である。

さてそこで、稲荷の現状は？と言うと、そんな負のイメージを抱えたままの状態にある。全国の神社の境内には必ず稲荷社（稲荷祠）があるが、スッとしたところがなかなかない。清々しくないのだ。それにどことなく陰湿で暗いイメージを受ける。もちろん、全部の稲荷神社がそうだとは言わない。

稲荷社（祠）になぜか暗いイメージを受けるのは、稲荷社（稲荷祠）が境内の隅に置かれているのもその要因の一つだ。隅に置かれた状態からして「祖末に扱われているのでは？」と疑ってしまう。そのような稲荷社（稲荷祠）はたいがいが、社殿とか屋根、壁面などが薄汚れていたり、赤鳥居も色が剥げ落ちて、参道も、社殿の回りも、掃き清めた様子になく、それどころか、草も生え放題のところが少なくない。また、社殿にあげました水玉（水器）や榊立も、御水は乾いてしまい、埃汚れのまま、当然、榊も枯れて、何日も放置されていたりする。榊立すらも置いていないところがある。それはまだしも（まだしもではいけないのだが・・）、屋根は崩れ、壁面も破損したままだ。酷いものになると、社殿全体が壊れて放ったらかしの状態になっているとか、この状態を放置したままの稲荷社（稲荷祠）にはとても近寄れたものではない。

神道の基本は祓い清め。我欲の心を清める内清浄と、生活環境を調える上で自らの体と周囲を清める外清浄の二つ。神道は厳しい世界、と言うか、道理を心得た者にとっては厳しくもない世界だが、内なる精神が清祓いされないと、外なる体も環境も清祓いできるものではない。そこでこの章は、まずは人々の稲荷への思いや、稲荷への誤解の原因を洗い出し、稲荷に対する心の内を清祓いしたいと思う。

その二、人に悪さをする霊狐？

稲荷と言えば、「赤鳥居」「稲荷狐（いなりぎつね）」「御塚（おつか）」の三つが頭に浮かぶ。その稲荷狐と言えば「白狐（しろぎつね／びゃっこ）」。相場はそうと決まっている。「赤鳥居」と「御塚」については後ほど説明するが、ここでは「稲荷狐」の話をしよう。

稲荷狐は稲荷神のお使いなので神狐（しんこ）と呼ばれ、その姿は白毛と言う訳だ。ところが、稲荷社（稲荷祠）が陰湿で無気味な感じがするのは、伏見の稲荷山で言えば、その稲荷狐の像と御塚（おつか）に原因があるようだ。稲荷狐は口が裂けて、目の吊り上がった怖い形相をしており、御塚（おつか）は何やら墓石を思わせるところがある。そして、その強面（こわおもて）の不気味な稲荷狐がいつの間にか稲荷神として崇められるようになった。そこが問題だ。

それと前述したような、まあ、ここからの話は伏見稲荷とは無関係の話だが、稲荷社（稲荷祠）を朽ちたまま修理もせず、汚れたまま掃除もせず、穢れたまま清祓いもせずに放置しておくと当然、低級霊の恰好の棲み家となってしまう。低級霊は拝まれたり、崇められたりするのが好きで、またそうされるとエゴを大いに満足させ、まるでその者が神にでもなったような気分にさせてしまう。すると、ますますそこに居着いてしまうことになる。このような低級霊が人に悪さをするのだ。

そのような稲荷社（稲荷祠）にはもう近寄れたものではない。稲荷に祟られたという話は大半がそのような低級霊の仕業であって、稲荷神は祟ったりはしない。なぜなら、稲荷は古よりの正神で、尊い神霊であるからだ。

稲荷鳥居

その三、稲荷には呪術の影が漂う

ここからは稲荷行者から聞いた話だが、「稲荷狐が霊狐と呼ばれる訳は、稲荷狐には霊格があるからで、天狐・地狐・空狐・赤狐・白狐の五狐の霊格的段階があるとされる。霊格の高い霊狐になると、的確な託宣、また妥当な託宣をして人を助けたりもするが、

それに対し、野狐（やこ）レベルの霊と通じると、憑いたの、憑かれたのと大騒ぎとなり、今の目先の生活だけでなく、ヘタすれば人生全体が崩壊するところまで追い込まれることもある。稲荷狐対応の神通術はそんな危険性も伴うので慎重を要し、野狐の霊には充分注意し、稲荷狐と野狐を見分ける心眼をしっかり養う必要がある」。

また、「一度（ひとたび）稲荷神と縁を結べば最後まで（命ある限り）信心を捨てずに貫くことだ。もし稲荷神を祖末に扱うことがあればバチ（罰）が当るぞ！」とまで行者は断言したのだが、まあ、ここまでは、稲荷の行法と知識をかじった者の間ではよく知られている話である。そのような話を知っている人は、おそらく稲荷行者

からの話として聞かされたのだろう。

現代にあってもこのような教えを信じて修行をしている御仁もいるし、過去には、このような行者特有の話術で人の心を掴み、稲荷信仰に勧誘するやり方をしている稲荷行者もいたりした。しかしこれなどは、歪んだ稲荷信仰特有の世界観であり、過去の時代から続く、稲荷に対しての間違った信教である。それが現在にまで影響を与えている悪例だと言える。

これも過去の例だが、稲荷信仰の普及において霊狐（陰物）を利用することもあった。稲荷の神の影に霊狐の存在を臭わす一種のプロパガンダ（宣伝行為）である。「稲荷の信仰を捨てたら怖いぞ、祟られても知らないぞ！」と言うような感じだ。これなどはかつての稲荷の教えが呪術傾向にあった名残である。これもまた稲荷に対する誤解を生んできた要因である。このような稲荷への正しくない理解が、稲荷の祟りを恐れる心、祟りをする稲荷の使いと思われている狐への拒絶感、稲荷の神霊そのものへの恐れ、嫌悪する思いなどが人々の心の中に生じさせることになってしまう。そのことから、神社の氏子を始め、その地に住む人々の稲荷に対する信仰心が薄らぐばかりでなく、稲荷の社（祠：ほこら）に詣でることすらなくなる。

ところで、人に危害を加える野狐がいるとするなら、その正体は思凝幽界（現界と並行して存在する幽界）に迷い込んで成仏できずにいる低級霊の仕業（しわざ）である。言い換えれば、ある何かのものに執着し、未浄化のままにある思凝霊の仕業なのであるから、心の眼を養うのはむしろそのような未浄化霊を見抜くための修行であってほしいし、このような低級霊・未浄化霊の居着いている稲荷社（稲荷祠）にあっては、何はともあれ、その霊にそこから去ってもらうための清祓い（キヨハライ）を行わなければならない。但し、本来の清祓いは高次元の霊光・霊氣で、その霊の念を清め、あるいは溶かし、光に昇華することにある。これを魂華（こんげ）と言う。

でもなぜ、稲荷神社には狐がいなければならないのか？　それは後ほど明らかとなる。

稲荷は祟り神か？

稲荷狐

そもそも稲荷が人々に誤解されるようになった要因は「狐（キツネ）」だ。それも「ダキニ（荼枳尼天）」との関係にある。神仏習合の時代にダキニは稲荷と習合的関わりを持った。仏法での稲荷神の本地仏をダキニ（荼枳尼天）としたことや、稲荷神の眷属とされる白狐とダキニ（荼枳尼天）の使いとされる白いコヨーテを同一視するような間違いが起こり、さらに、飯綱権現の使いであるイズナ（イタチ科のイイズナ：イタチより小さな体形／別名オゴジョ）とも混同されたことも重なって、稲荷はそれぞれの時代背景や政治的影響の中で、様々な変遷を辿ってきたのである。

稲荷は修験道、密教、陰陽道と習合する中で、次第に呪術色が濃くなっていった

伏見の稲荷山は古代では修験者の集結する霊場・聖地であった。白山修験道の開祖・秦泰澄も伏見の稲荷山で修行し観世音の女神を感得した。泰澄は白山を開山した後、次々に奇跡を顕す。浄藏もまたその稲荷山で修行し、護法童子を自由自在に使役したと言う。このように稲荷山に雑密や密教が入って行く中で、稲荷古道も逆に、天台宗・三井寺系の修験や真言宗・醍醐寺系の修験の系譜の中に取り入れられ、またイズナ（飯綱権現）信仰が入り込んだ稲荷修験や、ダキニ（荼吉尼天）信仰が入り込んだ稲荷密教なども生まれて行く。その呪術的性格をもって御蔭信仰や護法信仰などが普及する中、稲荷信仰への信者の取り込み、または信者離れの封じ策として祟りの概念を作り上げ、祟り神の霊顕説を広めたとも考えられる。

イズナ

九尾の狐

飯綱権現

ダキニ天

稲荷狐は妖艶にも変容していった

伏見稲荷には、明治時代に断行された廃仏毀釈までは稲荷本願所愛染寺（真言宗東寺末寺）という真言系の寺院も建っており、神仏両部の稲荷の聖地でもあったのだ。仏教系の本願所が稲荷山に成立したのは、記録上は応仁の乱以後（十五世紀後半頃）であり、それが確立されたのは江戸期（十七世紀）以後のことだ。本願所愛染寺の初代住職・天阿上人（一五九八―一六七四）は、真言密教に遵って神仏習合の稲荷の行法を体系化したと言われている。伏見稲荷の教義の中に「稲荷愛法」というものがあるが、その法に真言密教における理趣教の「愛染法（本尊・愛染明王）」を結びつけたことにより、稲荷の教義に「性愛の呪術」が現れるようになる。

「愛染明王」の愛染の教えは、「性欲も愛欲も悟りを得る道」、「究極の男女交合の法」を説いている。これは秘教学の教義「霊・幽・体による三つの結婚であり、愛欲を高め、性を美しく清らかなものにしなければならない」と説くものである。これは「煩悩即菩提（仏教）」及び「即身成仏（密教）」の教義に矛盾するものではない。

ところが、天阿上人は中世から近世にかけて流行した眷属信仰（稲荷の使役狐）に深く関与し、愛染寺では「狐落としの祈祷」を行ったり、稲荷系シャーマンの養成なども行うようになる。後に、様々な弟子ら及び民間の祈祷者らによって、「愛欲を神聖な次元に昇華する成仏法」ではなく、愛染の本来の目的から逸脱した「愛欲に主眼が置かれたものとして、それを賛美する淫靡な呪術」という呪詛的色合いが次第に濃くなっていく。

そのような人々が稲荷狐を取り込んで利用し、その聖なる存在を妖艶な姿に変容させ、稲荷を誤解させる世界に導いていったのである。稲荷狐が妖艶な様相に変容したのは、この愛染の法の変質が大きな要因の一つでもあった。因みに、歌舞伎に登場する「信太森の稲荷狐の物語」は、まさにこの影響を受けた流れの中から生まれたものだ。これは歌舞伎の人気演目「芦屋道満大内鑑（あしやどうまんおおうちかがみ）──葛ノ葉子別れの段」、通称「葛ノ葉（くずのは）物語」として有名な話だが、そこに登場する「信太妻（しのだづま）」とも呼ばれた「信太森（しのだのもり）の葛ノ葉」の正体は稲荷狐（白狐）で、物語では、安倍晴明（あべのせいめい）の母となっている。そしてこの人物は平安中期に実在した大陰陽師である。

さて、その稲荷狐とされた葛ノ葉だが、その実体は、平安中期に主に堺を本拠とし、堺・和泉・岸和田の一帯を教導区と定めて活動した稲荷結社があって、和泉区の教導の中心が舞村（現、和泉市舞町）付近に定められたことで、信太森に教導所が置かれることになった。葛葉稲荷（信太森葛葉稲荷神社／和泉市葛ノ葉町）が信太森にあるのはその名残である。その教導所を任された導師は妻を娶らず、教導所の門前に捨てられていた嬰児を引き取り、自らの娘として育てることにしたが、娘は成長するにつれ利発さを示したことから、霊巫（稲荷巫女）として教導することになる。

やがて娘は導師の教導下にあった陰陽師と結ばれることになり、男の子が生まれた。成長して舞太夫と名乗り、父親の陰陽道を継承し陰陽師となるのだが、母親の稲荷神道も受け継ぐことになる。

この舞太夫が歌舞伎「葛ノ葉物語」に登場する安倍晴明のモデルであり、その母が葛ノ葉のモデルとなったという訳だが、そのことから舞太夫は陰陽師ながら神楽の舞手でもあった。舞太夫の名はそこから名づけたものである。

愛染法の話でありながら、随分回り道になったが、この葛ノ葉に託された秘密と愛染法には繋がりがあるからだ。この二つには「性の秘密」が隠されている。それは「霊性の目覚め」に関わるものだ。イナリ秘教にはその秘密が説かれている。愛染法の真実の道、「イナリ愛法」。稲荷愛法ではない、イナリ秘教に説くところの「愛法」とは性愛の秘儀ではない、我が子に対する母の情愛でもない、「聖なる愛の玄理（コトワリ）」である。その内容については「稲荷奥伝の章」で説明しているが、その聖なる玄理を説明するにはかなりの紙面を必要とするので続編に譲りたいと思う。

飯綱呪法

飯綱呪法は「衆目を眩惑する悪魔・外道者の邪法（『茅窓漫録』）」と中世から近世にかけてそう呼ばれた。また、飯綱の呪法返しの術として、「しきみの抹香を仏家及び世俗に焼く。術者は伊豆那（イズナ）の法を行ふに、この抹香を炊けば、彼の邪法は行はれず」と『大和本草』に記されてある。さらに、かつて火攻めの兵法として、「狐の背に烏の脚を縄で括り付け、その翼に火を点けて敵城に放つ戦術であり、戦勝に導いた狐と烏を供養するもの」でもある。この狐とは、もちろんイズナのことである。なお、戦を勝利に誘うために「管狐（クダギツネ）の術」を使う例がある。イズナを暗い場所で小さく飼育し、そのイズナに点火した烏を背負わせたまま、狭く暗い敵の城内に逃げ込ませる、その運びを首尾よく成功させることで敵を殲滅する呪術である。

また、室町期の「戸隠山顕光寺流記（とがくしやまけんこうじるき）の并序（ならびにじょ）」には、「吾は是れ、日本第三の天狗なり。願わくは、此の山の傍らに侍し、権現（九頭竜）の慈風に当たりて三熱の苦を脱するを得ん。須（すべか）らく仁祠（じんし：寺院）の玉台に列すべし。当山の鎮守と為らん」とある。則ち、飯縄明神は戸隠権現の慈風によって鎮守となるという主客関係が示されている。飯縄明神は自らを天狗だと言っているが、飯縄明神は飯綱権現のことだから、それはイズナの背中に乗った烏天狗を指すものだ。戸隠権現とは一般的にタヂカラオ（天手力男神）のことしているが、その実体は九頭龍だ。この烏天狗とは何者なのか？九頭龍とは何なのか？についても続編で解き明かしたい。

因みに、飯綱信仰は、かつては武士の戦勝祈願の飯綱権現信仰であったり、飯綱による火攻めの兵法などは、乱破（らっぱ）・突波（とっぱ）と呼ばれた忍者の駆使した術だが、やがて民間に広がり、憑霊信仰、天狗信仰、狐信仰と多岐に渉るようになり、複雑な様相を呈するようになる。稲荷の祟り神のイメージやその無気味な雰囲気は、このような時代まで遡ってしまうほど根が深く、その時代からの影響が今もなお残っている。

白狐が稲荷神の使いになった経緯は他にもある。「稲荷大明神流記（東寺伝）の命婦事・船岡山縁起」の中に稲荷狐のもう一つの謂れが記されている。このエピソードには、信太ノ森の葛葉狐（しのだのもりのくずのはぎつね）の伝説とも重なるところがあり、その話の裏には隠された稲荷の真実がある。その稲荷狐の呼称に関わるものとして、稲荷狐は「専女（とうめ）」、「白専女（しらとうめ）」と呼ばれることもある。

稲荷神が啓示を下す時、お告げという形で、その稲荷巫女や稲荷行者（男・女）の口を通して物事における示唆を与えた時代がある。稲荷山での修行によって霊力をつけた稲荷巫女や稲荷行者（男・女）がこの世を去った時、当然の経緯としてその霊魂は稲荷山に鎮まることになる。

ところが、その稲荷巫女や稲荷行者（男・女）らの中には、来世への転生を望まず、霊体のままでこの現世に留まり、稲荷神と稲荷巫女の間に介在して託宣したりする者がいる。その啓示は、時には霊視で、時には霊言をもって、時には自動書記という方法を使ってそれを受け取らせ、人々に向けての託宣に移らせるが、実はこの行為が危うい、何とも厄介なことになるのだ。

巫女や行者（男・女）の口を借りて霊言を放ち、脳を借りて霊視させているのが、当人たちは稲荷神によるものだと勘違いしてしまうところにある。それならまだしも、それが神狐（稲荷狐）の御業（ミワザ）だと信じ込んでしまい、神狐（稲荷狐）を稲荷神として崇め奉ってしまう例も少なくはない。それが未成仏霊の稲荷巫女や稲荷行者（男・女）の仕業だとはまるで気がつかないのである。このようにして稲荷神は誤解されて行ったのである。

巫女や行者の背後で啓示を与えるのが命婦霊（巫女霊）であれ、行者霊であれ、それらも稲荷の神そのものではない。祈りの背後で霊的作用を起こす存在が命婦（巫女）霊であろうが、行者霊であろうが、それはもともと稲荷の神に仕える身であったのだから、人々の幸福のためにその霊力を最大限に発揮するのが本筋と言えよう。

さて、かつての時代の流れの中で、稲荷の世界に山岳雑密や修験者、陰陽師などによってダキニ法とか飯綱の術が持ち込まれた時期があったが、これらは多分に呪術的要素を含んでおり、そこに霊狐信仰が加わったことで、稲荷に妖術的、呪術的臭いが漂うようになる。当時の稲荷命婦（巫女）も稲荷行者も当然その影響を受けたのである。その命婦（巫女）や行者らが自らの徳性を高めず、利己的で支配的な気性のままでこの世を去ったらどうなるか？　そういう例は多々あり、そのような者が霊体だけになるとどうなるか？　当然、霊格は低いままで思凝幽界を彷徨うことになるだろう。霊視する者からそのような霊体を見ると、残念ながら人の霊としてではなく、動物霊として認識されることになる。これが野狐の霊というものの正体である。

稲荷狐（白狐）の真実

では、「稲荷狐（イナリギツネ）」の本当の姿を伝えよう。一般的に、稲荷狐（イナリギツネ）」は稲荷神（いなりがみ）と思い込んでいる人が案外多いのではないか？　実はそうではない。稲荷狐（イナリギツネ）とはあくまで稲荷神（いなりがみ）のお使い（神使・眷属）なのであって、言うなれば、稲荷神（いなりがみ）のメッセンジャー的なお役目の存在なのだ。

そもそも「お使い（神使・眷属）」という役目がどこからもたらされたのか？
その原因は命婦（みょうぶ）である。稲荷狐（イナリギツネ）はかつて稲荷命婦（イナリミョウブ）もと呼ばれた時代がある。命婦（みょうぶ）とは本来、宮廷に仕える「五位の女官」の職名であり、その職名を伏見稲荷では、稲荷神（いなりがみ）に仕える巫女（みこ）の職名とした。しかしそれがいつの間にか、稲荷狐（イナリギツネ）自身のことを指すようになってしまう。巫女である稲荷命婦（イナリミョウブ）は白衣に身を包んで祭祀に臨み、白は聖浄と純潔を表すことから、白狐（シロギツネ）は稲荷巫女（いなりみこ）を指す隠語ともなる。つまり稲荷狐（イナリギツネ）とは、稲荷神（いなりがみ）に仕える巫女（みこ＝マギ・シャーマン）の意味だったのだ。これが稲荷狐（イナリギツネ）の真相である。

だが、稲荷狐（イナリギツネ）にはもう一つの意味がある。それは秦氏にまつわるものだ。秦氏に関わる稲荷狐（イナリギツネ）とは、景教（原始キリスト教）の信徒を指す隠語であり、外国から日本に異なる風習を持ってやって来た異形（いぎょう：異なりな風体）の者、つまりヘブル人（ヘブライ人とも言う＝古代イスラエル人）を指す隠語ともされた。

それと、秦氏の素性を表すもう一つの隠語がある。それは「赤鳥居（あかとりい）」だ。稲荷と言えば「秦氏」、稲荷と言えば「赤鳥居」である。また、その秦氏に古より深く関わる宇佐神宮（宇佐八幡宮）を始め、全国の八幡神社も同じく「赤鳥居」であること。その理由に、この「赤鳥居」は、旧約の民であるヘブル人（古代イスラエル人）にとって「家の戸口に血塗りした鴨居」を意味するところにある。そのことは、旧約聖書における「過ぎ超しの祭り」の条に記されてある。「赤鳥居」は即ちヘブル人（古代イスラエル人）を意味するのと同じなのだ。

景教の信徒も含めたヘブルの民（古代イスラエル人）は、長い旅路の末、この日本の地にやっと辿り着いた。それが成し遂げられたのは、ヘブルの民（古代イスラエル人）の王家に伝わる古地図に記された天国（則ち「天つ国」と呼ばれた本因）の位置、それがこの日本の地であったからだ。

そういう訳で、後ほど稲荷の神の正体は明らかになるが、本当の稲荷の神と言うのは太古日本の正神である。なので、稲荷大社を始め全国の稲荷神社は、本来狐を神として奉ったものではない。

稲荷への誤解を解く

ここで稲荷への誤解を解いておきたい。後章で詳しく解き明かすが、稲荷神の実体は「宇宙創成の正神」、国常立命を始め、伊勢の皇大神宮の外宮（げくう）に坐す慈愛力に満ちた豊受大神であり、その教えは「稲荷愛法」という博愛と献身の道であるから、それを理解すると、罰を当てるような狭い料簡の神ではないし、祟ったりするような低級なレベルの神でもないことがわかってくる。

稲荷の神は敬いても、恐れる必要など何もないのだ。そもそも人間なるものは魂が本体なのだから、心を澄み切らせ、思いを正しくすることに努めていると、魂の本来の働きが現れ、正しい神々の世界が見えてくるものである。ましてや稲荷は正神であるからその例外ではない。

稲荷の神が正神であること、天地宇宙の主神であること、生命を司るところの伊勢の外宮の神であることが、「稲荷大神秘文（いなりおおかみひもん）」の祝詞の冒頭の部分に記されてある。その冒頭の内容を見てみよう。

「夫（それ）神は唯一にして神形（みかた）無し、虚（きょ）にして霊有り、天地（あめつち）開けて此方（このかた）國常立尊（くにとこたちのみこと）を拝（はい）し奉（まつ）れば、天（あめ）に次玉（つくたま）、地（つち）に次玉（つくたま）、人に次玉（やどるたま）、豊受（とようけ）の神の流（ながれ）を　宇迦之御魂命（うかのみたまのみこと）と生出給ふ（なりいでたまう）・・云々」

神は、人はもちろんのこと、全宇宙、天地自然にとって唯一の存在であるが、その形は無く、その存在がないように思えるかも知れないが、霊として確実に存在している。天地宇宙の始めから現在に至るまで、その宇宙初元の神である国常立尊を崇拝し、奉斎してきたことで、宇宙を司る霊、地球を司る霊、人の中に入り肉を司る霊は、生命を司る神である豊受の神の流れを受け、生命力と生命の育成を担う神であるウカノミタマ（宇迦之御魂命）となって生まれ、生命に関わる様々な働きをもって地上界に顕現される・・。というような意味である。

赤い鳥居に秘められた謎

稲荷の赤鳥居

神社の鳥居は「神の在（ざい）」、つまり「神の居られる霊域」を表す。神道では鳥居を神域への門とする。伏見稲荷の鳥居奉納の習慣は「通願成就（願い事が通る）」の意味から、江戸時代以降に広がったもので意外と新しい。秘教霊学において、鳥居は霊魂の象徴であり、鳥居は神域を守る神鳥（護霊）の止まり木であると共に結界を示すもので、その機能は、「これより先は神の聖浄霊域であるから失礼のないよう、ここを潜る者が心身を清めた姿にあるかどうかを神鳥（護霊）による監視・確認が行われる関所」である。まあ、検問所のような役目だ。

さらに、鳥居の機能が物理的に優れている点は、鳥居の下を潜る者の心身を実際に浄化してしまうところにある。そのような浄化機能は鳥居の形状そのものに秘密があるのだが、鳥居のその朱色にもその機能がある。因みに、鳥居のその機能によく似ているものが他にもある。夏越祭（なごしのまつり）の時に、神社の境内に設置される「茅（チ）の輪」である。この「チ」は「血」と関連し、「血」から連想される「赤」と稲荷鳥居の「朱色」の「赤」とは無縁ではない。これらに共通する働きは「疫病を退散させる赤の呪力」にある。

朱を魔除けとする錬金術師集団

鳥居の朱色（赤い色）には魔除けの意味がある。本来、鳥居は木で作られ、腐敗防止のために昔は漆（うるし）を塗っていた。古代の海人（アマ／かいじん）族は産鉄製鉄を生業とするタタラ族であり、その中に黄金採取と錬金を生業とする民がいた。彼らは黄金の宝の山を求めてわが国に渡来した。彼らはまた、朱を扱う民でもあり、霊的な錬金の秘儀をもって魂の昇華を行い、肉体を黄金と化し、永遠の生命の獲得を目指す秘教集団でもあった。

赤い鳥居を設けている神社は、伏見稲荷大社の他に、松尾大社、上賀茂神社・下鴨神社、日吉大社、宇佐八幡宮がある。これは言うまでもなく、すべて秦氏が関わった神社である。では、何者が日本で朱の色を塗り始めたのだろうか？

大きな朱の鳥居を構える宇佐八幡宮（大分県）は全国の八幡神社の総本山だが、その創建に深く関ったのは辛嶋氏で、辛嶋氏は辛嶋勝（からしますぐり）とも言い、その出自は秦部（はたべ）の勝部（すぐりべ）だ。秦部もまた秦氏の支族である。

朱の鳥居から辛嶋勝、辛嶋勝から勝部、勝部から秦氏の関係性が読める。また豊国（トヨノクニ：現大分県）は、豊前・豊後に分けられる以前の国名であるが、この地にはかつて銅を産出した香春（カハル）岳がある。この山には金属神が祀られており、その麓には新羅国の神を祭祀する香春神社があったと『豊前国風土記』に記している。注目するところはその神社の社務であった赤染氏だ。当時、赤染氏は秦氏の管轄下にあったと言われている。

ところで、その豊国だが、この国は秦王国とも呼ばれるほど秦人（シンジン）の多かった地域である。豊国の秦氏（前身は秦人）と山城国（現、京都市）の秦氏との系譜上における二族間の血族関係は見出せないが、神官家内では赤染氏を秦氏系としている。赤染氏の名の由来は、朱を塗ることによって器物や土地を浄化する赤色呪術を扱う集団であったところからのものだが、秦氏は朱を神聖視する一族であり、そのことから、朱塗り、丹（ニ）の技術集団である赤染氏を重用したと思われる。山城国に移住してきた秦氏が産銅や丹（ニ）の採取技術を持っていたのもそれと無関係ではない。そのことから伏見稲荷の赤鳥居の朱の色は「丹（ニ）」、つまり朱砂

（シュシャ、辰砂：シンシャ、丹砂：タンシャとも言う）を原料とするのが本来であった。この「丹（に）」は、別名「賢者の石」とも言い、硫化水銀からなる赤色鉱物で、金や銀などの鉱石の製錬の時に使うものだが、古墳の石室の下に朱色を施した跡が見られるのは、古代における「死者に辰砂または弁柄（べんがら）を施す」という「施朱の風習」があったからだ。弁柄（べんがら）とは酸化鉄赤のことで、インド・ベンガル地方から伝来した言葉とされる。この施朱は神仙思想の「除魔」「清浄」の呪術に基づくものだろうが、実際、水銀化合物には強力な防腐効果があることから、腐敗防止の埋葬技術としての意味もあった。特に「丹（に）」は、貴人の埋葬に使われており、奈良の黒塚古墳にもこの朱が施されている。

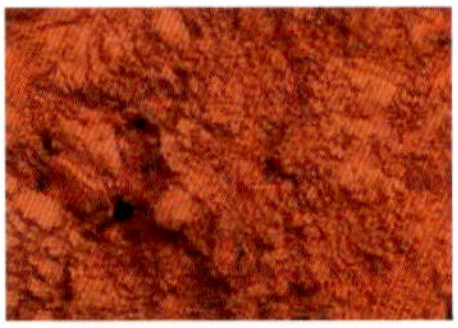

丹（ニ）：朱砂（シュシャ）
：赤色硫化

奈良黒塚古墳の施朱の跡
（レプリカ）

伏見稲荷（大社）では五穀豊穣を祝う火焚祭（ひたきさい）が十一月に催されるが、本来は鞴祭（フイゴマツリ）と呼ばれていたもので、金属の神を奉るものだった。神仙道における錬丹煉金術では「人間は玄気を集中し、丹薬を服飲することで不滅の人間になれる」と考えられた。不滅の人間とは「生命に永遠性を得た者」、言い換えれば「不老不死の身になった者」のことであり、真人（マヒト・しんじん）とも呼ばれるものだが、つまり仙人である。

これらの内容から推察すれば、秦氏は製鉄だけでなく、練金にも関わっており、それは秦氏の同族でもあった丹（に）を扱う赤染氏にも言えることで、秦氏と共に赤染氏には錬金術集団の影が漂う。因みに、空海（高野山真言宗開祖・弘法大師）のパトロンが秦氏だったのに対し、最澄（比叡山天台宗宗祖・伝教大師）のパトロンはこの赤染氏であったと言われている。

ところで、わが国には「朱に交われば赤くなる」という諺（ことわざ）がある。これは中国の古い諺で、晋の傅玄（ふげん）の「太子少傅箴」（たいししょうふじん）に記す「近墨必緇、近朱必赤」（きんぼくひっしきんしゅひっせき）から引用された言葉だが、秦氏はこの諺（ことわざ）を借りて稲荷の隠語として用いた。それは、「朱の鳥居を潜った者は、やがて稲荷の神秘の霊域に足を踏み入れる」というものだ。これも秦氏でしか為せない言葉の呪術と言えよう。

　秦氏の九州の拠点となり、秦王国と呼ばれた豊国（トヨクニ）の話の続きだが、豊国（トヨクニ）の国名に付けられた豊（トヨ）は、邪馬台国の卑弥呼（ヒミコ）の後継者として倭王となった台与（トヨ）の名から付けられた国名である。豊国は台与の国だったのである。その裏付けとして、宇佐八幡宮の祭神でありながら正体不明とされ、単に比売神（ヒメノカミ）とだけ呼ばれている神がいる。この神は、宇佐八幡宮の元宮（もとみや）とされる香春神社の祭神である女神がルーツと言われている。このトヨ（台与）には丹（ニ）に因んだ別名がある。丹生都比売（ニブツヒメ）である。またの名を豊受比売（トヨウケヒメ）とも言う。トヨウケヒメ（豊受比売）に丹（ニ）が絶えずまつわるのはこう言う関係があったからである。後にトヨウケヒメ（豊受比売）は丹波（タニハ：現在の丹後半島）に活動拠点を移すことになる。

稲荷山の御塚・聖石群の謎

稲荷山の御塚群

稲荷信仰で特徴的なのが「お山参り」だ。麓の社殿だけを参るのではなく、背後にある神山、稲荷山（標高二三三ｍ）の数々の神跡を巡る「お山参り」の風習が伏見稲荷では定着している。現在でも稲荷講の人々を頂点として、一般の参拝者や観光客の多くが稲荷山へ足を踏み入れるという、他社ではあまり見受けられない光景が見られる。最近のジャパンブームで外国人観光客も多く訪れている。

山中に入れば至る所に無数に立ち並んだ石碑群がある。この石碑は「御塚（おつか）」と呼ばれ、岩に神名を刻んで山中に置くことで、その場が大神と参拝者の交流の場となるという役割を持っていることだ。「御塚」は山中におよそ一万基はあるが、これらのほとんどが幕末から明治時代にかけて築かれた聖石群で、比較的新しい。それを築いたのは、稲荷大神を奉じる信奉者が、その属する稲荷講社の逝去した講主を大神の霊位として奉じ、岩（石）にその神名を刻んで立てたものである。神社側は当初それを認めず、許可しなかったようだが、遂に制止し切れず、聖域の醸成装置として現在は容認しているようだ。

※神社側がもともと設置した「御塚」は、稲荷山の三ヶ所の峰をはじめ、長者社や御膳谷など七ヶ所の「神跡・神域」のみで、社務所発行の『伏見稲荷大社略記』によれば、「これらの神跡は大神をお迎えし、お奉りを行ったところと信じられて来た」ことによるものであると言う。ここで判るのは「御塚」は神霊そのものではなく、神霊を「迎え」そこで祭祀を行った場所だということだ。

第三章

稲荷は霊的シンボルに満ちている

稲荷にまつわるシンボル

「イナリ」の本来の姿は、様々な時代の流れの中で変遷を余儀なくされてきた。そこで「イナリの秘教伝授者」は、いつの日か「ウケモチノミタマ（保食魂）」が復活し、太古より伝わる「イナリの玄理」が再び地上にもたらされる日が来ることを予見した。そこでその秘教玄理をシンボル化して後の世に残したのだ。そのようにして、「イナリの玄理」は今日まで守られてきたのである。それではここで、稲荷にまつわる重要なシンボルを何点か見てみよう。

その一、「フトマニ（布刀摩邇）の図」

イナリフトマニ
（布刀摩邇）

この図は「イナリフトマニ（布刀摩邇）」と言う。この形状は「宇宙の創成力」と「相似象」を表し、「霊としての生命の進化と帰還」を表すイナリの秘図である。この形状は大自然の中にも、世界中の古跡にも見られ、宇宙における銀河系や太陽系、星の誕生。地球における台風、竜巻、渦潮。ミクロの世界においてのＤＮＡや原子など。また、古代の洞窟の壁画や祭祀場の岩の線刻、古代遺跡などに描かれていたり、古代の文献に記されていたりする。宇宙は「回転」しており、万物の進化は「螺旋」によってなされている。この形状そのものに力があり、この形状の運動こそが宇宙大自然を創造している。古代の人々は、この螺旋の働きを「蛇」、

「龍」、「産霊（ムスビ）の力」などと呼んでいた。出雲古族が神として奉じた「龍蛇（リュウダ）の神」はこれである。稲荷山を守る神界の一つに八大龍王神界があると行者の間では知られている話だが、実は、稲荷山の古層の神もこの「龍蛇神」であったことはあまり知られていない。

星雲

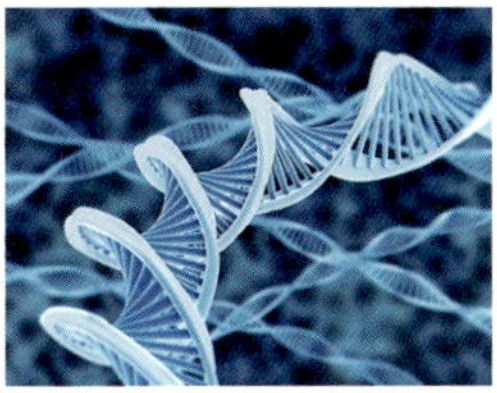

DNA

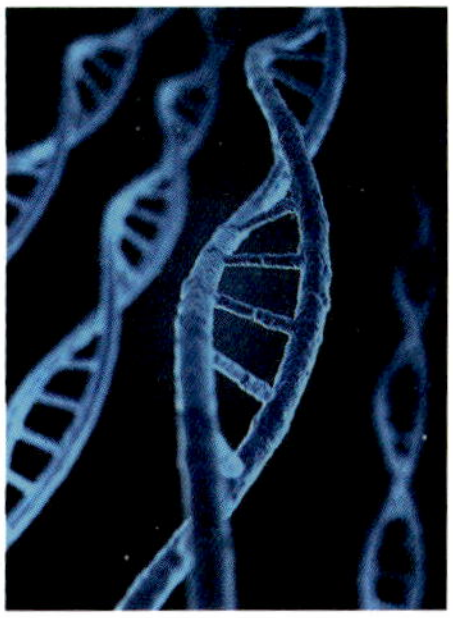

伏見の稲荷山には二柱（ふたはしら）の女神が三ツ峰に奉られている。その一方を天宇豆売命（アメノウズメノミコト）と言い、その名に螺旋形を表す「渦目（ウズメ）」と解釈できる言葉が込められている。これは偶然ではない。詳しくは後述する。

因みに、秘教霊学にもこの螺旋は示されている。この螺旋図は古代ギリシアの戯曲「オイディプス神話」の中に登場する「スカラベ（タマオシコガネ）と螺旋形状の関係」を説くもので、これは「生命の霊的進化と帰還」を表す。則ち、惑星で表される意識の進化の過程を通過するプロセスを表している。

この図に描かれたスカラベは「自我意識」の象徴であり、自我意識は霊的進化の過程を巡り、やがて宇宙の絶対中心である「完全体（霊的統一への回帰）」の位置へと到達するが、それは再び最初に戻るという「循環」を説明している。この循環を「霊の螺旋的進化」とし、「万霊万命は永劫回帰する」としている。下の図はそのスカラベの姿を頭部に持つエジプトの神「ヘプリ」である。「ヘプリ」は、「自ら存在に到るもの」「生成変化するもの」「様々な形の主」という意味である。

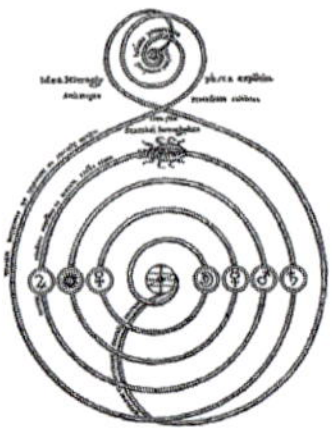

霊の螺旋的進化

エジプトの神「ヘプリ」

その二、「稲荷の鍵」

稲荷の鍵

伏見稲荷の楼門の前には、稲荷狐が狛犬のように二体、参拝者を見下ろす形で立っているが、その一体の口には「稲荷の鍵（鉤とも記す）」が咥えられている。

その稲荷の鍵の意味は「稲荷の秘密の神門を開ける鍵」という意味である。つまり「秘された真の稲荷の世界」、「イナリの真実の世界への扉を開ける鍵」なのだ。

稲荷の鍵の形は、角張った形をしているが、それが渦巻になっている。

この形は「イナリフトマニ（布刀摩邇）」をアレンジしたものであるが、「鎌」は秘教霊学に言うところでも、「神門の管理者」あるいは「宇宙の管理者」を示すシンボルとされている。しかし、この「稲荷の鍵」にはさらなる意味がある。

宇迦之御魂（ウカノミタマ）

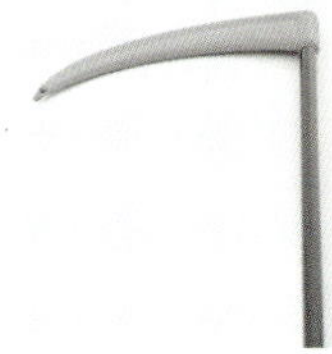
稲荷神が手に持つ鎌

稲荷の鍵

「稲荷の鎌と鍵：成熟した魂を神の御元に帰還させるとの意味」

この「鍵」の形が「宇迦之御魂神（ウカノミタマノカミ）」が手に持つ「鎌」の形を

暗示させるものでもある。それが示す意味は、「実った魂の刈り取り」である。このことが実際に「伊奈利」という文字に記されてある。ＩＮＲＩのところでの「伊奈利」の説明と重複するが、「伊」は杖を持つ人、杖を持つ人とは「白髪の老翁（稲荷の神を表している）」を指すもので、その解釈は「真理を得た賢者（預言者）」だ。秘教霊学では、白い髪・白い髭の老人は「英知」を表すシンボルとしている。「奈」は西洋赤梨、つまり「林檎」である。林檎と言えば、アダムとイヴが楽園（エデンの園）の果樹に生っていた赤い果実を食べたことで天使（ケルブ）に追放されてしまうという失楽園の神話で有名だが、その楽園（エデンの園）にある「生命の樹」に生るその赤い林檎のことだ。

でも、なぜ食べてはいけなかったのだろう？　赤い林檎の赤は実の熟れた状態を表すから、それを互いに食べる行為それ自体が、熟した互いの実を食することと同じだ。つまり、互いの成熟した体を欲したということの比喩なのだ。その二人が追放された先はこの物質世界、霊の世界から肉体の世界で暮らすことになったが、イヴは出産を、アダムは労働の役割を課せられた。そこで、人類の誕生となる訳であるが、赤い林檎を食べて肉体の世界に陥ったということは、赤い林檎を食べると

「霊的存在でなくなる」ことを意味している。そのことから「奈」はつまり「霊的存在でなくなった人間」を指すものだ。ちなみに、歌舞伎で舞台の下を「奈落（ならく）の底」と呼んでいるが、舞台上は明るい世界、舞台下は暗い世界を指す。「奈落」は本来、仏教に説くところの地獄のことだが、その語源はサンスクリット語の「ナラカ」、その音写「奈落迦」から転写された言葉だ。「どうにもならない状況」「抜け出すことのできない場所」を意味する。

「奈落の底」とは言わば洒落だ。林檎を食べたことで楽園の世界を追放され、天上から降り立った下界は暗いところ。そして舞台の下も日の当らない暗いところだ。この二つを掛けて洒落た訳だ。さすが梨園（りえん）！　粋な言い回しである。

話は少し横道に逸れるが、歌舞伎の世界のことをなぜ「梨園」と言うのか？　中国の唐書の礼楽志には「梨園」についてのことが次のように記されている。『玄宗既に音律を知り、又た酷（はなは）だ法曲を愛す。坐部伎（ざぶぎ）の子弟三百を選びて梨園に教う。声に誤り有る者は、帝必ず覚りて之を正す。皇帝梨園の弟子（ていし）と号す』とある。説明すると、「唐の玄宗皇帝は、音律が何であるかをすでに知り尽くしており、芸舞楽曲を好み、自らも楽曲の達人であった。皇帝は宮廷の楽曲を奏でる坐部伎（ざぶき：雅楽士）三百人を選抜し、宮廷内の梨園（梨の木のある庭：中国版エデン？）で宴饗雅楽を習得させた。皇帝が情熱を傾けて育成したその坐部伎は「皇帝梨園の弟子（ていし）」と呼ばれるようになり、後にその劇団を指して「梨園」と呼ぶようになった」との話だが、江戸時代のこと、此の故事に因み、歌舞伎界を「梨園」と呼ぶようになったと言う。とは言え、「梨園」がさらに「エデンの園」のことだとなると、さて？　当時の歌舞伎界は知ってか知らぬか・・。

先ほど、赤い林檎を食べることで「霊的存在でなくなる」ことから「奈」は「霊的存在でなくなった人間」を指すとアダムとイヴのところで説明したが、ここで二人の子孫になるイエスの話に移ろう。イエスは自らをメシア（キリスト：救世主）だと宣言した。なぜそう宣言したのだろう？　それは「霊的存在でなくなった人間」を救済するためである。だからこそ、十字架（キリストの象徴）の御前（みまえ）で「懺悔（ざんげ）と祈り」という習わしを行うのだ。なぜそうする必要があるのか？　その理由は、その行いによって人々が「霊的世界に戻る」ためである。イエスは人間が「霊的存在に帰還する」ために、この世を去ってからもメシア（キリスト・救世主）

であり続けている。

ところでこの「奈」は「生命の秘密」という別の暗号も秘めている。それは「生と死に関わる神秘の教え」という重要な意味を伝えるための暗号、即ち「死と再生の儀礼に関わるシンボル」である。その儀礼をなすことで、楽園を追われた人間は「霊的な人間に戻る」のだ。そこにこそ、わが身の死をもって伝えようとしたイエスの真偽がある。

そこで「利」を考えてみると、「利」は、稲穂と鎌が並んだ姿を表した文字で、「実った稲の刈り入れ」を意味する。これを言い換えれば、「成熟した魂を神の御許（みもと）に帰還させる作業」という意味になる。そう、これは前述した内容と一対になっている。つまり、果実を食べたことで「霊的な存在でなくなった人間」に対して、地上において大いに実った稲穂は、「物質の世界で魂を成熟させた人間」ということになる。では、誰が刈り取り、誰が帰還させるのか？　それは古伝では稲荷の老翁神となっている。転じれば、それはキリストのことに他ならない。つまり伊奈利の文字は、「稲荷の老翁は、キリストが再臨した時の空中携挙（くうちゅうけいきょ）」を表すシンボルなのだ。

その三、「稲荷宝珠（いなりほうじゅ）」

稲荷宝珠

稲荷には何でも願いを叶える自在な力を持つとされる宝珠（ほうじゅ）がある。それを「稲荷宝珠（いなりほうじゅ）」と言う。「麻邇宝珠（まにほうじゅ）」とも呼ばれるが、稲荷古伝に述べるところの「伊奈利布刀麻邇（いなりふとまに）」の「麻邇（まに）」である。「邇（に）」は丹生（ニウ：水銀）の「丹（に）」であり、その色を表す「朱（しゅ）」でもある。つまり「赤」だ。この「麻邇（まに）」を仏教では「摩尼（まに）」と記す。「マニ（如意という意味）」はサンスクリット語（梵語：ブラフマンの言葉：宇宙の最高原理であり言葉）の音写であることから、これを「如意宝珠（にょいほうじゅ）」とも言う。「思うが自在（じざい）」の意味である。

古代インド仏教の説には、「如意宝珠（にょいほうじゅ）は鳳凰の肝や龍の脳から現れる霊物」とされている。しかしその説を空海は遺訓「御遺告」の中で否定している。空海の曰く、「如意宝珠は、鳳凰の肝や龍王の脳中にあるというはまったくの虚言なり。宝珠は如来の分身にて、それが真実なり。これ極秘中の極秘、甚深の上の甚深なるものなり」と。そして、古代インドの思想の中に、「宇宙が誕生する瞬間の姿が宝珠として見えた」とする説もある。要約すると「思いを叶える言葉の自在力」という意味になる。これは「言霊（コトタマ）」と同じではないか。となると、如来（にょらい）の分身は言霊（コトタマ）になる。言葉は光の分身なのだ。

　言霊（コトタマ）は音霊（オトタマ）でもあるから、音霊（オトタマ）を自在に使う仏様は観音菩薩（かんのんぼさつ）とも言え、この菩薩（ぼさつ：悟りを求める者）は如来（にょらい：悟りを開いた者とも真実の世界から来る者ともされた）のもとで悟りへと至る道を歩む者であることから、観音菩薩（かんのんぼさつ）もまたそうである。その観音菩薩の変化身が如意輪観音（にょいりんかんのん）である理由がここから解けるのである。「如意」の真髄が「音」「言」であること、「輪」は人間の身体の霊中枢（霊的エネルギーセンター／チャクラ）を表す。つまり「思い」を自在にする力は「喉（のど）の霊中枢（霊的エネルギーセンター／チャクラ）から発する波動」であることが分かる。

その四、「フトマニノミタマ（布刀麻邇之御魂）の図」

フトマニノミタマの図
（布刀麻邇之御魂）

稲荷古道の秘文（ひもん）に記す「フトマニノミタマ（布刀麻邇之御魂）」の図は、天成（アマナリ）という「天地宇宙が創成される仕組み」を記した秘符であり、同時にそれは「生命が創生される過程」を記すものでもある。しかもそこには「宇宙からもたらされる霊的エネルギーを受け取る構造」が記されてもいる。人間が霊的進化するにおいて、この霊的なエネルギーをどう受け取り、それをどう駆使するかの道筋を、図によって説き示したものだ。イナリの「イ」の言霊を「ワクムスビ（和久産霊）」と言い、「愛氣（あいき／マナムス／マナ）」でもある。「自然界に生きるすべての生命体の活性化を目的とする働きを言う。これについては後章でまた詳しく説明したい。

その五、「稲荷の聖なる秘数〈三〉」

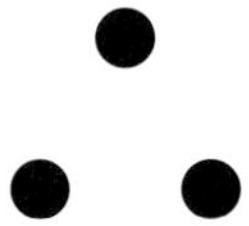

イナリの聖なる秘数「三」

秘教学では、「同じことが繰り返し三度起きると神の啓示」だと教えている。「三」を神の聖数とするのだ。イナリではその聖数を創成の玄理としている。この章で後に紹介する稲荷の神も当然それにあたる。稲荷山の三つの峰には、サダヒコ（佐田彦神）、オオミヤメ（大宮売神）、ウカノミタマ（宇迦之御魂神）という「稲荷の三柱（みはしら）の神」が奉られている。そして、何でも願いを叶える「稲荷宝珠（ほうじゅ）」がある。これを「摩邇宝珠（まにほうじゅ）」とも言うが、これは三つの数で表される。この「三」の秘数を持つ摩邇宝珠（まにほうじゅ）がこの稲荷三神の御魂である。この聖なる「三」の秘数は、稲荷だけではない、日本神話の中にも見られる。天地創生を行ったアメノミナカヌシ（天御中主神）・タカミムスビ（高皇産霊神）・カミムスビ（神皇産霊神）の「造化三神」に始まり、亡くなった妻のイザナミ（伊佐奈実神）に会うためにイザナギ（伊佐奈木神）が死の世界（ヨミ：黄泉国）に降りて行き、そこで鬼女のシコメ（醜女）らに追われた際、オオカムヅミ（大神祇神）が桃三つをシコメ（醜女）らに投げて退散させたので、無事に帰還ができたという話がある。そこに示された「三つの桃」もそれだ。

「稲荷の三神」については、後章でまた詳しく説明する。

※イザナギ・イザナミの表記は、「伊邪那岐・伊邪那美」とされているが、イナリコードの解釈では、「伊佐奈木」「伊佐奈実」である。解説が膨大になってしまうためここでは指摘のみとし、詳しくは次回作にて述べる。

※現在公表されている神話では、「オオカムヅミ（大神祇神）」は「桃」そのものを指す神の名とされているが、実はそこに大きな謎がある。そのことについては、いずれ書く予定である。

日本の神社の中でその聖数「三」を重んじているところが何社かある。奈良の大神神社（オオミワジンジャ：奈良桜井）の三つ鳥居、同境内の桧原神社の三つ鳥居、京都の木嶋坐天照御魂神社（コノシマニイマスアマテルミタマジンジャ）、またの名を蚕ノ社（カイコノヤシロ：京都太秦）と言うが、そこの三角鳥居。この神社の本殿の横には元糾（もとただす）の池と言う原始キリスト教の古代の洗礼場所を思わせる石組み造りの池がある（かつては澄み切った池だったが、今は水脈が途切れて水は無い）。この神社は三角鳥居やこの禊（ミソギ：古代キリスト教的には、これは実は洗礼と解釈している）の池で有名だ。

稲荷の摩邇宝珠（まにほうじゅ）の「三」

大神祇（オオカムヅミ）
三つの桃（神の生命力の象徴）

この神社はイナリと非常に深い関係がある。古代においてこの場所は海部氏が領有していたと言う。

桧原神社の三ツ鳥居

木嶋坐天照御魂神社の三角鳥居

皇位継承に秘められた聖数〈三〉

わが国の皇位継承においても聖数「三」が用いられる。皇位継承において代々受け継がれてきた「三種神器（ミクサノカンタカラ＝さんしゅのじんぎ）」のことだ。この三つの神器（神宝の意）は、「剣（本来は〈鍵：カギ〉であったとも言われている）」「鏡（本来は〈甕：ミカ〉であったとも言われている）」「玉（本来は〈璽：オシデ〉だったとも言われている）」である。この神器は、遥か古より（現代でも続いている）スメロギの日継ぎ（天皇：スメラミコトの継承）の際、ヒツギノミコ（日継ぎの皇子＝皇太子）がこの神器を受け継ぐことになっている。天皇が崩御（亡くなること）されると次の皇位継承者に引き継がれるのだ。だが実際のところは、この三神器はあくまで霊的秘儀の象徴であり、神器そのものが霊力を放っているという訳ではない。古代では大王（オオキミ）が天皇という高御座（タカミクラ：深遠で高貴な位）に就くために「三つの霊的秘儀を修めて現人神（アラヒトガミ）となる」ことにあった。

さて、そもそも三種神器（ミクサノカンタカラ・さんしゅのじんぎ）というのは、天孫（てんそん・アメミマ）が豊葦原中津国（とよあしはらのなかつくに）に降臨した時、アマテラス（天照大御神）が自らの継承者として天孫（てんそん・アメミマ）に授けたとされる「八咫鏡（ヤタノカガミ）」「草薙剣（クサナギノツルギ＝天叢雲剣とも言う）」「八尺瓊勾玉（ヤサカニノマガタマ）」の三つの御璽（ミシルシ）を指したものだ。かつては「みくさのかむのみたから」と呼ばれた。

この神宝（かんたから）の継承を天津日継（天津霊継：アマツヒツギ）と言い、日本の歴代天皇が受け継いできたものである。

三種神器
（ミクサノカンタカラ・さんしゅのじんぎ）
「人が神と化す霊的秘儀」の象徴

その本質のところでは、天皇が「現人神（アラヒトガミ）になるための秘儀の継承」であった。しかしそれだけで終わりではない、皇位継承はなぜ三種神器でなければならないのか？　そこにはさらなる奥義があった。それは、「三つの神器の内の鏡と剣を合体させることで真の意味をなす」ところにある。その奥義にこそ「太陽神の継承者である印、つまり霊太陽の璽（シルシ）」が示されてある。

そして、その奥義のさらに奥には、天皇（てんのう・スメロギ）が現人神（アラヒトガミ）となるための三つ目の神器の秘儀があった。それは「八尺瓊勾玉（ヤサカニノマガタマ）」に関するものである。その秘儀については、次に述べる聖数「三」の「三つ巴」の説明のところで、「勾玉（マガタマ）の秘儀」として説明したい。しかしこの勾玉（マガタマ）は、その秘密を知り、それを実践すれば、人の誰もが神人になれるかも知れない。そのような秘儀でもあるのだ・・。

※皇位継承とは、太上天皇（だじょうてんのう・だいじょうてんのう／皇位譲位後の天皇尊号。上皇〈じょうこう〉と略す場合もある）から次の天皇の位に就く皇子（皇太子またはそれに準ずる皇位継承者）に皇位を譲ることを言う。その継承の際に不可欠なのが

「剣・璽・鏡」の神器で、これが「三種神器（みくさのかんたから＝さんしゅのじんぎ）」であるが、その継承儀礼には「剣璽等承継の儀（けんじとうしょうけいのぎ）」と「賢所（かしこどころ／けんしょ）の儀」があり、粛々と執り行われる。剣璽（けんじ）とは草薙剣（クサナギノツルギ）のことで、八咫鏡（やたのかがみ）と八尺瓊勾玉（やさかにのまがたま）は宮中三殿の賢所（かしこどころ）に安置された。現在、八咫鏡（ヤタノカガミ）は伊勢の皇大神宮の内宮に納められており、草薙剣（クサナギノツルギ・元の名は天叢雲剣：アメノムラクモノツルギとしているが、実際は別物である）は、熱田神宮に納められている。その二つは御神体として奉斎されているが、八尺瓊勾玉（ヤサカニノマガタマ）だけは、本来は天皇が身に付ける神器であったため、現在は天皇の御側に置くものとして皇居の御所に納められている。なお、伊勢の皇大神宮内宮に納められている鏡と熱田神宮に納められている剣には形代（カタシロ：レプリカ）なるものがあり、八咫鏡（ヤタノカガミ）の形代（レプリカ）は宮中三殿の賢所（かしこどころ）に、八尺瓊勾玉（ヤサカニノマガタマ）の実物と草薙剣（クサナギノツルギ・天叢雲剣：アメノムラクモノツルギ）の形代（レプリカ）は、天皇の居られる御所（ごしょ）の剣璽（けんじ）の間に置かれている。

三種神器は霊的秘儀の象徴だった！

三種神器（ミクサノカンタカラ／さんしゅのじんぎ）の秘儀の一つは、「鏡」と「剣」の二つを合体させるところにある。そうしてこそその意味をなすものとされる。では、それを合体させるとどうなるのか？　そこにはある表象が現れる。それは、島津の紋に似た「円に十字を重ねた形」が現れる。これは「聖太陽十字」とも「日ノ輪十字」「神聖円十字」とも言い、「太陽神霊（霊太陽）」からもたらされた璽（シルシ）」を象徴したものである（「太陽神霊」については、次回作で詳しく述べる）。

この璽（シルシ）はその言葉の示す通り、始めに「太陽神霊または太陽神霊界とのウケヒ（誓契・受霊）」が執り行われ、その後、啓示としての直観の形で授けられる「統合の璽（シルシ）」を意味するものだ。ウケヒ（誓契・受霊）とは、その太陽神霊（太陽神霊界）との誓いであり証である。太陽神霊（太陽神霊界）とのウケヒ（誓契・受霊）を成し、「統合の璽（シルシ）」を拝受すると、そこで「太陽神霊の代理者」となる。三種神器の第一の秘儀は、アマテラス（天照大御神）とスサノオ（須佐之男命）のウケヒ（誓契・受霊）に示される天の真名井をもって行われた「玉と剣の潔白神儀」の裏に隠されたもう一つの神儀「鏡と剣の統合」にある。この内容は「イナリの秘儀」とも深く関わるので、詳しくはイナリ奥伝の章で述べたい。

八咫鏡（ヤタノカガミ）

草薙剣
（クサナギノツルギ＝天叢雲剣とも言う）

聖太陽十字
（日ノ輪十字・神聖円十字）

神社の神紋〈三つ巴〉の玄理

神社の神紋である「三つ巴」は、神霊界の光の神門を守る「三つの力」を表す霊的教えから来ている。神社の本来の姿は光の神殿であり、それは太陽神殿を指すものだ。そのことから、神霊界とは太陽神霊界を指し、光の神門は太陽の門を、三つの力は光の剣を持つ聖霊を指すとされている。人間の霊魂が神霊界に参入する上で、目にすることになる三つの力、潜ることになる光の門、入ることになる光の神殿、それを現象界であるこの地上に表した姿が私たちの参拝する神社なのである。

目を閉じて統一瞑観（宇宙と一体化する瞑想法）に入ると、脳裏に黄金に光り輝くピラミッド（後日これは霊界における太陽神殿であると知らされた）状の正三角形のビジョンが現れる。すると直後に、その底辺から三分の二ほど上の部分に、それよりいっそう眩い、プラチナ状に光り輝く「三つ巴」に似た三つの光玉が、互いの尾を追いかけるようにグルグルと高速で回転するビジョンが見えてくる。その彗星のような姿の光玉は、生命に活力を与える霊的働きとしてあるものだが、その三つの存在は、人間の霊命が三次元で肉体をもって生きるために活用される働きにある「大いなる英知の源泉」であり、「神聖なる愛の源泉」であり、「宇宙的エネルギーの源泉」なのだ。この三つの働きは「宇宙を形造っている宇宙の生命エネルギー」そのものなのである。

三能一元
太陽神霊界の門を守る光の
剣を持つ聖霊
回転する三つの霊力

その三つの光の玉は、太陽神霊界の入口を守護する役目を担うものでもある。その霊的な働きである光の回転自体が、太陽神霊界の入り口の扉を開ける鍵であり、閉じる鍵ともなる。それが「三つ巴」に見えるのは、玉の回転が速すぎるために、光の後方の部分が尾のように見えるからだ。それの一つ一つの形状は「勾玉（マガタマ）」に似ている。いや、似ているどころではない、まさにこれこそが「勾玉（マガタマ）」の本質なのだ。皇位継承（天皇の御位の引き継ぎ：日継ぎ）の儀礼時に不可欠とされる三種神器（ミクサノカンタカラ／さんしゅのじんぎ）の一つである「勾玉」とはこのことである。

　この三つの働きを一つに統合することで人間は宇宙意識と一体化する。言い換えれば、人間はこの統合を経ることで現人神（アラヒトガミ）となる。つまりは「神人」と化すのだ。稲荷には「イナリの鍵」なるものがある。この鍵の形はその「三つの勾玉（マガタマ）」の玄理を象徴化したもので、まず、柄の部分に「玉」が串団子のように三つ連なっていて、その先に「」（鉤）」が内側に三つ巻き込んだ形状になっている。「三つの玉」は「宇宙創生の三つの玄理」で、「」（鉤）」が内側に三つ巻き込んだ形は「宇宙創生の建設者」を表している。これは「宇宙の建設者」を表す霊的象徴の「卍（マンジ）」の象と意味は同じだ。

「鏡と剣を合体させる秘儀を修めた後に玉の秘儀を修める」。この三つの秘儀を修めることで「太陽神の日継（＝霊継：ヒツギ）」を終える。古においてスメロギ

（スメラミコトとも言う）と呼んだのは、この三つを一つに「スメログ者」だったからだ。ところで天皇は太陽神・アマテラス（天照皇大御神）の子孫とされている。以上を鑑みるともうお分かりだと思うが、太陽神霊界と太陽神、三つの働きを統合する者と天皇、プラチナ状に輝く正三角形（光のピラミッド＝太陽神殿）と神社、回転する光玉と勾玉、この三つは同じ内容を指したもので、人間が神人化（高次の霊性に至る）する上での霊的秘儀だったのである。しかも古代においては、皇位継承が決まった者だけに秘密裏に開示された秘儀中の秘儀であった。

では、皇位継承者への開示にあたったのは誰なのか？　それは、往古より宮中で祭祀を司ってきた神官の霊的指導にあたる存在である。宮中にそんな存在が本当にいたのだろうか？　また、そのような存在が今もあるのだろうか？　否、確かに存在したのだ。だがそれは伯家神道の神祇伯ではない。その背後には太古より続く秘教団と言うべき霊的指導組織があったのである。わが国にはこのような表に出ることのない、聖なる秘密がまだまだ隠されている。

「三」を聖数とするのは世界中に見られる。例えば、今はクリスチャンでなくても知っているほど有名な、キリスト教の父と子と聖霊を指す「三位一体」。ユダヤ教においては、メルキゼデクがアブラハムに授けた天界の秘密とされるカバラ学における「聖なる三つの柱（慈悲・俊厳・均衡）」、ヒンドゥー教におけるブラフマー神・ビシュヌ神・シヴァ神の「三神一体」など。このように聖なる「三」の秘数と神々の世界の関係は並々ならぬ関係にある。

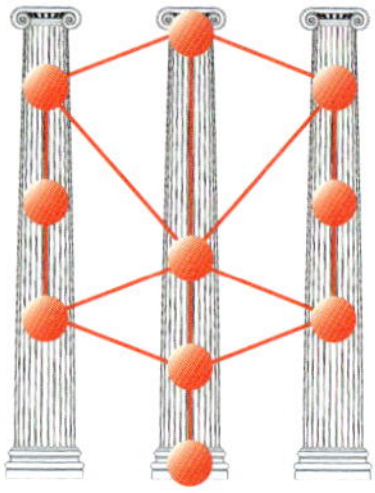

カバラの三つの柱
生命樹を象徴する

契約の箱〈聖櫃アーク〉を守る玄理

「三つ巴の勾玉（マガタマ）」とよく似た内容が聖書に登場する。太陽神霊界の入口にあたる神殿を守護する役目の「回転する光の三つの勾玉＝三つ巴」は、秘教に照らして解釈するなら「智天使・ケルブ（複数ではケルビム）」にあたる。

旧約聖書の創世記第3章に、『神は人を追放し、エデンの園の東に〈ケルビム〉と〈回る炎の剣〉を置いて〈生命の樹の道〉を守らせ給いた』といった記述がある。ケルブ（単数呼称・その数一体）は「エデンの園（the Garden of Eden）」を守護する任にあたり、アダムとイヴを「エデンの園（the Garden of Eden）」から追放した智天使のことだ。

ケルブは図に描かれているように、その姿は「智天使を表す赤い服」を着ている。赤は「炎」を象徴するものであることを思えば、「回る炎の剣」の意味も分かる。この剣は、聖書神学の解釈ではしばしば神の力を形容する際に使われるので「雷（イカヅチ）」を指すものとされている。

しかしそうではない。「雷」は回ることはない。「回る」とは「回転」を表したもので、「三つ巴」の神紋のところで述べた太陽神霊界の入口の守護者である「回転する炎のエネルギー」、「回転する勾玉」のことである。それは、太古において太陽を表すシンボルであった「卍」と意味は同じであり、それのもう一方の意味は「回転」である。この回転の静止した姿が「卍」の象で、神聖図形の一つとされる。

この図は、秘教で示すところの「聖太陽十字」で、「人間の祈りを神々に取り次ぐ媒介」を意味する。しかもそれは一つの顕れとしてではなく、清められた者たちの前にその姿を顕わす。それはまた「生命の樹の道を守る神聖存在」でもある。だからこそケルブは、「人間の祈りを神々に取り次ぐ仲介者」の意味ともなる。このケルブはまた、ヘブル（古代イスラエル・今日に言うユダヤ）の三つの神宝が納められた契約の箱と呼ばれた聖櫃（Ark：アーク）の天蓋の上に座して守護する「ケルビム（ケルブの複数・聖櫃の天蓋で神宝を守護する二体）」でもある。

神秘霊学では、ケルブはセラフ（複数形ではセラフィム）とは異なる特別の任務を持つ高位の御使いであり、その存在は神の被造物としている。そのことからケルブは天使の側面も担っており、さらには「ヤハウェの坐るもの、乗り物」としての役割も担っている。西洋秘教学の聖徒は「ヤハウェ」の真の呼び方、「YHWH」の発音を口外することは禁じられてきた。その真の姿を知る者でない限り、決して発音することもできなかった。その「YHWH」という神の名の意味は、「我は在る故に有るもの」「在りて有るもの」である。これだけではその意味を知ることはできない

エデンの園の守護者ケルブ
（智天使：Cherub）
アダムとイヴの上に描かれている赤で象徴されるケルブ

アークを守るケルビム
（智天使：Cherubim）
聖櫃（契約の箱）の天蓋で神宝を守護する二体のケルブ

だろう。「名を口にしてはならない」とされたのはそのためだ。

さて、そこで「回る炎の剣」だが、これは利己欲の人間がエデンの園に足を踏み入れる行為から守るために「YHWH」が設けた仕掛けであり、また鍵でもあった。ここでイナリにも関わる「鍵」という言葉が登場する。

さて、「三種神器（さんしゅのじんぎ）」への視点を変えてみる。この三つの神器を納める入れ物は「御船代（みふねしろ）」と呼ばれるものだが、これはヘブル人（古代イスラエル人）が大切に守ってきた「聖櫃（アーク）」を指すものではないかとも言われている。だがイナリ秘教においては「神聖性を入れる容器としての肉体」と解釈する。人間の肉体は「三つの秘儀が納められた神聖なる容器」という訳だ。

龍宮の玉手箱

おとぎ話に出てくる「龍宮の玉手箱」もまた「聖櫃（アーク）」を指すものだ。玉手箱のことを「玉櫛笥（＝玉匣：たまくしげ）」とも言うが、古代において「櫛」は「蛇」を指す隠語であり、「匣（くしげ）」は中の文字が亀の甲羅を表すことから、龍宮の使いの亀を意味する。亀の正体は龍宮の乙姫（亀姫）であるから、乙姫は龍女であり、亀は蛇と同じ属性と考えて問題はないだろう。また「玉（タマ）」は「霊（タマ）」と置き換えられることから、「玉櫛笥（＝玉匣：たまくしげ）」は「霊としての蛇」と解釈することができ、そこで玉手箱は「霊的な蛇の保管箱」という意味になる。

この意味を先ほどの「神聖性を入れる容器としての肉体」に照らし合わせると、「肉体の中に納められた神聖性」とは「霊的な蛇」という解釈になる。さらにその「霊的な蛇」が示すところには「三つの秘儀」が置かれてあることになる。これは前述した「三つ巴」と意図が同じであることが理解できるだろう。

ところで、日本のお祭りには昔から御神輿（おみこし）が出るが、そのルーツは前述した「御船代（みふねしろ）」という箱とされているが、「聖櫃（アーク）」ではないかとも言われている。屋根には金色に輝く「鳳凰（ほうおう）」の飾りがあり、その姿は「聖櫃」の天蓋に座す「ケルビム（エデンの園を守護する天使）」でもある。その彫像は金色に輝き、背に羽をつけた姿で、鳥人のようである。この鳳凰がエデンの園を守る「赤い服を来た羽のあるケルビム」を象徴したものであるなら、その箱の中に入っているのは「箱の中の蛇」ということになり、玉手箱とは同じ意味になる。「蛇が納められた玉手箱」とヘブル（古代イスラエル）の「聖櫃」の関係、また、玉

回転する三つの霊力
＝霊的な蛇の三つの秘儀

匣（玉櫛笥：たまくしげ）の匣の「亀甲」とヘブル（古代イスラエル）の「六芒星（ろくぼうせい）」の関係、その「六芒星」と「籠目紋」の関係。すると「箱の中の蛇」は「籠の中の鳥」に何やら似てくる・・。

古代に描かれた三つの螺旋

太古、人類は自然界の営みの中に螺旋の動きを感得した。その螺旋流動の法則性やそれに秘められた大いなる流動力が、自然界のすべての現象を地にもたらすことを覚っていたのだろう。太古の人々はこの螺旋流動力が水神や雷神の働きと考えた。そして、それを表すシンボルは「蛇」となった。そのことから、世界の古層にある信仰は水神であるところの蛇神であったという訳だ。それは日本においても同様と言える。

神社神道が今の神社の姿を形成する以前は原始神道（縄文神道）の時代であり、その時代の人々が奉祭し、信仰した神はやはり「蛇神」であり、「龍神」だった。さらに、それを合体させたものが「龍蛇神（リュウダノカミ・リュウジャシン）」であった。日本の神社の神紋を遡るとそのようなところにまで辿り着く。太古において、稲荷山に祀られていた神もまた「龍蛇（リュウダ）」だったのである・・。

三つの螺旋の相関を描いた太古の
岩刻図（ペトログラフ）

神社の神紋

イナリフトマニ
（布刀摩邇）

稲荷山には正神「三柱の神」が奉られている

これまで述べてきたイナリの「聖なる《三》の秘数」は、「聖なる秘数」と言うくらいだからもちろん稲荷の神にも当てはまる。伏見の稲荷山には三つ峯と言う聖峰があり、そこには「稲荷の三柱神（ミハシラノカミ）」が奉られている。由緒ある「正神」である。そしてその「三柱神（ミハシラノカミ）」を、サダヒコ（佐田彦神）、オオミヤメ（大宮売神）、ウカノミタマ（宇伽之御魂神）と言う。

この神々の名を見て「正神」なのかどうかピンと来ないだろうが、その真の正体を知ると、これらの神々がなぜ稲荷の神なのかを理解することができる。この三柱の神は、それぞれ、サルタヒコ（猿田彦神）、アメノウズメ（天宇受売神）、トヨウケヒメ（豊宇気比売神）である。そう聞いても、これらの神々の正体は世間にあまり知られておらず、古事記や日本書紀などの古文書関連においてもほんの少しの場面でしか登場しない。正統なのに神代史の記録からかなり間引かれた神々である。「まさに隠蔽された神々！封印された神々！」と言った感じだ。ではそれらの神々の出自をできる限り明らかにしたい。

稲荷大神のサダヒコ（佐田彦大神）は、結論から先に言うと、出雲の古代神だ。サダヒコ（佐田彦大神＝佐陀彦神）は、日本海に面した加賀の潜戸（クゲド）と言う岩窟の中で誕生した。出雲の松江佐陀宮内にある出雲國二ノ宮「佐陀大社」に佐太大神として奉られている。佐太大神は出雲国で最も尊い四大神の一柱で、江戸期の国学者、平田篤胤（ひらたあつたね）は、この神をサルタヒコ（猿田彦神）と同一と定義した。猿田彦の本来の読みはサタヒコもしくはサダヒコである。

またこの神は伊勢の土着の神ともされており、古事記には「天の八衢（ヤチマタ：天界と下界の境界、様々な次元に通じる分岐）にて、上は高天原、下は葦原の中つ国を光照らし、光り輝いている神」と表現されていることから、わが国で最も古い日神（太陽神）の姿ではないかと言われている。サルタヒコが赤ら顔であるのは、それが「日神（太陽神）」を暗示するものであり、それは天空の火の属性を持つ「陽神」の名残なのかも知れないし、その長高の鼻や手に持つ矛を合わせると「陽神」としての神格に合致する。そのことから日神の一面をもっていたとも考えられる。詳しくは【別章／探訪考】を参照。

次に、稲荷の女神の一柱、オオミヤメ（大宮売神）ことアメノウズメ（天宇受売神）であるが、この女神は天の岩戸の前で神楽を舞い、アマテラス（天照大御神）を天の岩屋から誘い出す一役を担った神巫（かんなぎ）だったのがその実像である。日本で初めて舞の姿が記されたことから、今日では舞踊の祖神とされている。

丹後にはこの女神を祭神とする神社がある。京丹後の大宮売神社（オオミヤメ神社：京都府京丹後市大宮町周枳）だ。この女神にはトヨミヤメ（豊宮売神）もしくはワカミヤメ（若宮売）という姫御子（娘？　養女？）がいて、またの名を「トヨウケヒメ（豊宇気比売）」と言う。丹後では大変重要な女神とされており、この女神が稲荷のもう一柱の女神、ウカノミタマ（宇迦之御魂神）である。

そこで、稲荷大神のオオミヤメとサダヒコの関係を考察する時、古文書にはアメノウズメとサルタヒコは夫婦（めおと）と記録されているので、その二神のオオミヤメとサダヒコも夫婦（めおと）となり、またトヨミヤメはオオミヤメの御子にあたるから、トヨウケヒメもオオミヤメの御子となる。と言うことは、ウカノミタマはオオミヤメとサダヒコの御子となる訳だ。すると、この三神は親子で伏見の稲荷山に奉られていたことになる。

ところで、このアメノウズメはどんな女神なのか？　その正体はよく知られていない。結論を言うと、アメノウズメの正体はアマテラスだ。それを知るには宮中八神の神々の名を見ることだ。その神々の中にその関係を記す名がある。

それは「オオミヤメ（大宮売神）」である。そう、稲荷に祀られるオオミヤメと同じ。そして、この女神には別名がある。「イヅノメムスヒ（厳芽産霊）」だ。「イヅノメ（厳芽）」とは「イヅノミタマ（厳魂）」のことで、そのフルネームを「撞賢木厳魂天疏向津媛命（ツキサカキイヅノミタマアマザカルムカツビメ）」と言い、この名は「アマテラス（天照大御神）」に他ならない。この解釈は、文献の分析によるものと言うよりも、私が神楽祭礼を行う中で感得したところによるものだ。アメノウズメとアマテラスについての詳しい内容は【別章／探訪考】を参照。

アメノウズメは神話の中で神楽を舞う姿で登場することからも、その名には「渦目」の文字が象徴としてついて回る。渦目は渦潮をも表していて、それは海水の螺旋流動を表すことから、出雲古族の奉じる龍蛇神＝海蛇（ウミヘビ）との関連性も見えてくる。アメノウズメの螺旋の動きは長い棒状の物を依り代とすることから、サダヒコ（佐田彦神・佐太大神）の龍蛇性を象徴するサルタヒコの矛、クナトノカミの杖と一対になるものであり、サルタヒコの属性である太陽神の放つ光と、その一方の属性にある龍蛇神の螺旋のうねり、その二つのものが、アメノウズメの中にも内在されている。つまり螺旋の波動の中から光が生じ、光の中から螺旋の波動が生じるのだ。この陽（サルタヒコ）と陰（アメノウズメ）の双方に内在する光と螺旋が絡み合う関係、この二つの絡みの繰り返しによって宇宙は創生されていく。この宇宙創生玄理を「イナリフトマニ」と言う。

その陰陽の光と螺旋が絡む働きから何が生じるのか？　一つは物質であって、一つは生命体である。イナリ秘教の教えではこの働きを「ワクムスビ（和久産霊）」としている。

ここで「トヨウケヒメ（豊宇気比売神）」の登場となる。トヨウケヒメは丹後では重要な女神とされている。されに、伊勢の皇大神宮の外宮（げくう）にトヨウケ（豊受大御神）として祭られている。このトヨウケヒメには多くの別名があって、伏見稲荷ではウカノミタマ（宇迦之御魂神・倉稲魂神）とされ、稲荷の中心的存在である。日本書紀ではウケモチ（保食神）と記され、古事記ではオオゲツヒメ（大食津比売神・大宜都比売神・大気都比売神）と記される。日本神話による神代においては阿波（徳島県）の国名ともなっている。それらは稲の神、穀霊、食物神である。トヨウケヒメが御饌都神（ミケツカミ）として伊勢の外宮に奉られることになったのは、食膳神、つまり御饌（ミケ：神々に捧げる食物の意）を司られる神だからで、伊勢の外宮の社伝「止由気宮儀式帳」には、雄略天皇の夢にアマテラスが現れ、「自らだけが鎮座するのは耐え難きことにて、また、吾（われ）一人で食事とるも安らかにないので、丹波国（たにはのくに）の比治（ひじ）の真奈井（まない）に居（お）わす御饌神（ミケノカミ）、等由氣大神（トヨウケノオオカミ）を吾（わ）が許（もと）に呼び寄せるように」と宣（のたま）われたので、丹波国から伊勢国の度会（わたらい）に遷座（せんざ）となったと記されている。この外宮の祭神であり、丹波で重要な存在とされてきた女神が伏見の稲荷山に祀られているのは注目すべき点である。

　トヨウケの重要な点は、その本質をなす、豊受・豊宇気の「ウケ」であり、宇迦之御魂の「ウカ」、「ミケ」「ミカ」である。これは言霊だ。「ウケ」は「大食」「宇気」、「ウカ」は「大日」「宇火」、「ミケ」は「神食」「神気」、「ミカ」は「神日」「甕」と解釈は様々だが、それらの言葉のさらに鍵となる音は「ケ」であり「カ」である。それらに漢字を当てはめれば「氣」「日」となる。この二つは、古代エジプト宗教に登場する「KA（カー）」そのものだ。古代エジプト宗教では、人間は肉体（AKT：アクト）、魂（BA：バー）、精霊（KA：カー）、名前、影、の五つの要素で構成されていると考えられていた。そこで人体を「肉体（アクト）」と「魂（BA：バー）」に分けて考えるのでなく、その間に「KA（カー）」を置き、しかもそこに存在の本質があると考えたのだ。「KA（カー）」は「精霊」「生命力」「精神」の意味であるが、キリスト教での「聖霊力」は、わが国の神道の「神氣」と同じ働きをし、合氣道の極意では、「精神」のあり方次第で「氣」の発動が違ってくるとされている。

トヨウケヒメに豊宇気という文字が当てられ、サルタヒコは氣神ともされているように、稲荷の入口は「氣」であり、まずは「氣」の道から入ることから始まる。因みに、「ミカ」の「甕」の意味については諸説あるが、その一つは「甕」が「ミケ（神饌・御食）を入れる壺」を表すものでもあることだ。トヨウケヒメをモデルとした羽衣天女が水浴びをした天の真名井（アメノマナイ）は天然の水甕であった。水甕をマナイと呼んだのだ。その意味はまるで「マナの壺」を指しているようである。マナとは、旧約聖書の出エジプト記に登場する話で、イスラエルの民がカナンの地を目指す中、シンの荒野（エリムとシナイ間の地）にあって飢えた時、モーゼの祈りに神が応えて天空から降らせたと言う食べ物のことだが、さらに重要なのはそのマナを入れた壺が「光の種人を宿す子宮」と言う意味でもあることだ。人体でその位置にあるのは、女性にとっての子宮であることはもちろんだが、ヨガでいうマニプーラ（宝珠の都）・チャクラ（輪）、武道での氣海丹田（きかいたんでん／臍下丹田：せいかたんでん）にあたる。つまり、腹部の霊的エネルギーコアのことである。ここを太礼神楽は「マニ（真丹）」と呼んでいる。この部分を鍛錬すると、物理的な食事はそれほどいらなくなる。そして、その部分を鍛錬する上で必要な要素が「KA（カー）」、「氣」である。これが「マナ」の実体なのではないか？　我々人間の身体は「氣を練る」ことで「生命力の活性」が生じる。これこそ「豊宇氣（トヨウケ）」「宇迦（ウカ）」の妙味と言える。この「ウケ」「ウカ」のパワーをイナリ秘教では「愛氣（マナ・マナムス）」と呼んでいる。また、この「生命力の活性」の操法を続けているとその延長線上に「霊性の覚醒」が起きるとも伝えられている。

さてどうだろう？　稲荷山に奉られる「三柱神（ミハシラノカミ）」のことに少しは関心を持ってもらえただろうか？　と言う訳で、稲荷は、狐はもちろん、決して商売繁盛の神様やお蔭信仰の神様をお祭りしているのではないことが理解してもらえたことと思う。次に話す内容は、さらにそのことを裏づけるものとなる。

サルタヒコ

トヨウカメ
（トヨケヒメ）

アメノウズメ

上：椿大神社（猿田彦大本宮）

天逆矛（アメノサカホコ）

天の渦

大甕（ウカメ）
大亀（ウカメ）
：龍宮の暗示

白翁老は「稲荷奥伝」に記された「三柱の神」の名を本来の意味に解き直し、その由来を正して曰く、

「稲荷（いなり）それ
三柱神（みはしらがみ）は各々（おのおの）が
天地象（あわのことわり）創り成す（つくりなす）
聖（きよ）き三つの働きぞ」

続いて、

「サルタヒコ（猿田彦神のこと）
手に矛（ほこ） 天（あめ）の 御柱（みはしら）と
見立ててそれを 地球（くにたま）の
地面（とこ）に衝き立て 天地（あめつち）の
氣の貫通（つらぬき）を 誘いて
地（くに）の 御柱（みはしら）となすがクナトぞ

己身（おのみ）則ち（すなわち） 立幹（りっかん）と
念じ給いて 天主（あめのぬし）
これに応じて 天空（うつほ）より
龍氣（りゅうき）は 地（とこ）に 降り給い
地中（くぬち） 山河（さんが）を 巡りたる
龍氣（りゅうき）は 天空（うつほ） 目指したる
昇り給いて 一巡り（ひとめぐり） これの働き 繰り返し
遂に大地（おおとこ） 豊饒（ゆたか）なす」。

次に、

「アメウズメ（天宇受売神のこと）
心素（こころス）にして 神乍（かんながら）
神業（かんわざ）招く 神籬（ひもろぎ）と
化して是より 振魂（たまふり）の
螺旋（うず）と律動（ひびき）の 渦目舞（うずめまい：螺旋に舞うこと）
楽しき伎（わざ）の 神楽舞（かぐらまい）
天磐屋（あめのいわや）の 戸を開く
この神御業（かんみわざ）氣枯れしの
諸人（もろびと）向けて 蘇命（そみょう）なる
天地（あわ）の産霊（むすび）の 働きと知れ」。

さらに、

「トヨウケ（豊宇気比売神のこと）の

タニハ（丹庭国）の主（ぬし）の　瑞霊（みずみたま）
清の真澄（すがのますみ）の　水甕（みずがめ）の
尊き水の守人（もりうど）な
天真名井（あめのまない）の神仕組み
高天（たかま）の神と　葦原（あしはら）の
求者（ぐじゃ）との　誓契（うけひ）に　立ち会いの
審神（さにわ）の神の　水鏡（みずかがみ）
御魂（みたま）に満つる　真清（ますが）なる
命（いのち）の水は　天地（あめつち）の
龍氣（りゅうき）を愛氣（まな）に　変じたる
奇しき神業（みわざ）の　源（みなもと）は
何処（どこ）にあるやと　訪ぬれば
トコヨ（常世）の国の美しき　慈しみの御（み）働き
天（あめ）なる慈母（じぼ）は　水精（みずたま）の
光の種を授けたる　種の撒かれた　大地（おおとこ）は

豊饒（ほうじょう）なりて　豊受（とようけ）の
愛和（まなのあえ）に　導きの
久遠（とわ）の命（いのち）の　世とならん」

《解説》

「稲荷の神である三体の神（則ち、サダヒコ＝サルタヒコ、オオミヤメ＝アメノウズメ、ウカノミタマ＝トヨウケヒメ）は、それぞれが宇宙大自然の現象を創り成す神聖なる三つの働き（三大玄理）を説いたものである。

はじめに「サルタヒコ（猿田彦神）」。

その一柱の神である「サルタヒコ（猿田彦神）」は手に矛（ホコ）を持っている。サルタヒコはその矛を宇宙軸と見立て、それを地に衝き立てることで、天地自然を造り成す宇宙エネルギー（氣）は、それを貫通するようにその軸に沿って流れる。矛はそのように、宇宙エネルギー（氣）を大地に誘うためのものである。そこでその宇宙軸を自らの身体に自らの中心軸として立てるように思念すると、宇宙の大いなる英知は自らの中心軸に呼応し、それによって宇宙エネルギー（氣）は、天空より宇宙軸としての矛に向かって降下することになり、地表から地中へ、また、山中や渓谷や河川を巡り、そして再び、天空を目指して昇って行く。そのようにして宇宙エネルギー（氣）の働きは一巡する。この働きの繰り返しによって、遂に大地は豊饒になる。


続いて「アメノウズメ（天宇受売神）」。

アメノウズメ（天宇受売神）は心を素の状態にして、自然な状態で神の業（わざ）を招く神の寄り代に変容し、その状態から心身を揺り動かす螺旋と振動により宇宙の律動と共にある渦の舞を行う。それは神霊がその身に降り坐し、魂に悦びをもたらす伎舞（わざまい）である。暗く閉ざした心の扉を開くこの神の御業（みわざ）は、気が低迷し、心身が脆弱化している者に、その命を蘇らせる働き、天地自然のもたらす生命活性力の働きであると知ってほしい。」

この詩文に目を通して分かったのは、アマテラス（天照大神）の復活を記した天の岩戸開き神話の要にある「天の岩屋」が、旧約聖書に記された「聖櫃（Ark：アーク＝契約の箱）」の意味するところに似ていることであり、また、天の岩戸の前で舞い踊る「アメノウズメ（天宇受売神）」と聖櫃（Ark：アーク＝契約の箱）の蓋の上で神器を守護する「智天使ケルビム」が、戸と蓋の違いだけでこれもその意味するところが似ていること。さらには、エデンの園を守護している「智天使ケルブ（ケルビムの単数）」の姿は激しく回転する炎の剣として描かれているが、それが神楽を舞うアメノウズメの姿とも重なることなど、「アメノウズメ（天宇受売神）」と「智天使ケルビム」は同じ構造にあったと言うことだ。この両者は、神秘の扉を守る存在であり、唯一その扉を開く鍵なのかも知れない。

次に「トヨウケヒメ（豊宇気比売神）」。

トヨウケヒメ（豊宇気比売神）は丹庭（タニハ）の国（かつて、現在の丹波・丹後・但馬・若狭西部までを領有した強大国）の盟主である麗しい魂を持つ御方である。清らかに澄み切った聖なる水を湛えた甕（かめ＝壷でもあり井戸でもある）の尊き水の守護者である。

天の真名井（あめのまない）と言う聖井（雨水や湧水を囲った貯水池）に満たされた真清

水により、天上の神々と地上に肉の身にあって真理を求める者との結びの契約に立ち会う審判の神でもあるその御魂は、聖井のようにすべてを映し出す鏡でもある。その御方の魂に満ちている純粋に清浄化された、命をも蘇らせる聖なる水は、天地宇宙を造り成す氣の力を慈愛に満ちた氣（これをマナと言う）に昇華させる。真に不思議なその神業（みわざ）の源流はどこにあるのかと胸中に訪ねると、それはトコヨ（常世）の国にあり、その美しき、慈しみの働きにあるのだと言う。

天上に居られてすべてを慈しむ母は、水の精が放った光の種を授けてくれる。その種が撒かれた大地は豊饒になり、その大地から多くの豊かさを受け取り、人々は愛と調和の道へと導かれ、永遠の生命の世界を迎えることになる。」

以上が原文の解説である。

重複するが、「サルタヒコ（猿田彦神）」は、古文書や祝詞に記されるように、鼻高で手に矛（ホコ）を持つ姿。日本各地の神社のお祭りでは大天狗の面をつけ、祭礼行列の先導役の神でよく知られており、道開きの神としても有名である。鼻高で手に矛を持つことから陽神とし、陽神は秘教に言う男性原理を象徴するものであることは前述した通り。「アメノウズメ（天宇受売神）」は、天の岩戸の前で神楽を舞う女神だ。高天原の男神衆の前で薄衣（うすぎぬ）の間から裸身を覗かせて舞う仕草は、男神衆の心を誘惑する業（ワザ）である故に陰神とする。これも秘教に言う女性原理の象徴である。またその女神の名の「ウズ＝渦」に示されるように神楽の舞は「螺旋と回転」を表し、その動きが魂を解放に誘う術（すべ）として、己をあるがままの姿に導き、何も隠すところのない真実を、言い換えれば、人間の意識を素の状態へと導き、それによって宇宙の真理への到達を象徴するものだ。もう一方の女神であるトヨウケヒメ（豊宇気比売神）には、アメノウズメとサルタヒコの二神の働き（陰陽合一原理）が内包されており、その陰陽合一の結果、新たな働きが化現される。この二神の働きを受けているからこそ豊受（とようけ）と言う名が顕われたのだ。この女神の象徴は「天然の水甕（ミズガメ）」とも呼ぶべき聖井、「天の真名井（あめのまない）」である。女神とこの二つはしばしばセットで象徴される。この「水甕」を秘教的解釈で言えば「子宮」である。その容器は、サルタヒコの陽の氣とアメノウズメの陰の氣が一つに融合した大いなる氣（大氣＝ウケ）を受ける入れ物だ。だからこそ、これを象徴する女神も豊宇氣（とようけ）となるのである。

サルタヒコは国底立尊（クニソコタチノミコト）とも言うが、この名は国常立尊（クニトコタチノミコト）の別称である。そのどちらも、大地の正中に御柱を衝き立てて大八州（オオヤシマ）を治める神である。この神は久那斗乃神（クナトノカミ＝岐神）とも呼ばれ、スケールが小さくなるが、境界の入り口に杖を衝き立ててシマ（領地）を守る神ともされる。よって、サルタヒコは柱の神でもあり、また杖の神でもあることになる。ここからサルタヒコは矛の神ともなる。それらに共通するのは長い棒状の代物であること。何度も言うが、これは陽神の象徴である。トヨウケが男神の働きを担う時、女神は陽神の働きをも継承することになる。稲荷大神秘文に記述の、「天地開闢（あめつちひらけ）て此の方 国常立尊（くにとこたちのみこと）を拝し奉れば天（あめ）に次玉（つくたま） 地に次玉（つくたま） 人に次玉（やどるたま） 豊受（とようけ）の神の流れを・・。」と言う詞（ことば）は、稲荷の神は国常立大神（くにとこたちおおかみ）を奉じる豊受大神（とようけおおかみ）の流れにあると説いており、それ故、豊受大神は陰神であり、陽神でもあると言うことになる。かつて外宮に仕えた宮司家、度会氏の伝えた度会神道では「国常立大神豊受大神同体」とする。サルタヒコとトヨウケヒメの深い絆（親子？ 養女？）から「異名同体」といえなくもないが、度会神道に言う「異名同体」とはそれではない。クニトコタチとサルタヒコの関係の暗示だ。つまり、豊受大神はサルタヒコなのだ。となると、豊受大神は豊宇気比売ではないことになる。サルタヒコは伊勢大神であり、初源の日神ではなかったのか？　そうそれは間違いではない。サルタヒコは確かに伊勢大神であり日神であるが、一名を玉垂御子（たまたれのみこ）と言い、玉垂れは「月霊が降りた御子」の意味で、月神の一面も持っていた。日の昇る伊勢の地で伊勢大神（日神）と呼ばれたサルタヒコは、日が沈み月の昇る（古代では月は西から昇るとされていた）出雲の地で佐陀大神（出雲国風土記に記す都久豆美神：ツクトミ＝月弓神＝月夜見神同体）と呼ばれたサダヒコともなる。出雲の月神はツクヅミ（都久豆美神＝月祇：出雲国風土記）と呼ばれた。ツクヨミ（月夜見尊＝月弓神）のことである。

月神とサルタヒコの関係を示す逸話はまだまだある。丹後の浦島神社（古くは宇良神社）の由緒には、浦島太郎（水江浦嶋児：みずのえのうらのしまご＝筒川の嶋子：つつかわのしまご）は月読命（ツクヨミノミコト）の子孫としており、籠神社の方では、海部氏の先祖の倭宿禰（ヤマトスクネ＝椎根津彦：シイネツヒコとも言う）を浦島太郎のモデルとしている。別名を珍彦（ウズヒコ）と言い、亀に乗って釣をする姿で描写されている。

この珍彦（ウズヒコ）は渦彦（ウズヒコ）とも読め、渦女（ウズメ）とは対に思えるので、そこにもサルタヒコの臭いがする。その浦島太郎（水江〈瑞江〉浦嶋児：みずのえのうらのしまご）は浦島神社に筒川大明神（ツツは古語で星を表す）として祭られているが、それを、住之江（大阪の住吉）の浜から亀に乗って龍宮に行った住之江浦嶋児（墨江浦嶋児：すみのえのうらのしまご）のことだともしており、その住之江にある住吉大社の祭神（住吉三神）の実体を塩筒老翁神（シオツツノオジ＝塩土老翁神同体）、丹後の籠神社でもその住吉大神を塩土老翁神（シオツチノオジ）と同体としている。ところがそのシオツチノオジはサルタヒコとも同体なのである。この浦島伝説においても、ツクヨミと言う名の月神とサルタヒコは一つの線で繋がってくる。この月神にまつわる話や浦島伝説についてはまた後章で説明することになるが、どちらもその背後に不老長生を説く神仙思想がある。

それらの内容とは趣が異なるが、伊勢の皇大神宮には次のような伝説がある。「豊受皇大神宮（外宮）とその別宮である月夜見宮は細長い道で繋がっていて、月夜見神は夜になると石を馬に変えてこの道を通り豊受皇大神宮（外宮）の女神のもとに通う」と言うものだ。この内容からは、ツクヨミをサルタヒコとはしていないが、月神とトヨウケが何らかの深い関係にあるのだけは読み取れる。その話はさておき、サルタヒコにせよ、トヨウケヒメにせよ、いずれにしても、豊受大神は日神と月神の両方の性質を担っていると言うことだ。ここに、表には出ることのない内宮と外宮のカラクリがある。

【別項／探訪考】

『猿田彦探訪～佐田彦大神考』

※正月に古くは（今でもそうだろう）、各家の玄関先のお飾りに「久那斗乃神（クナトノカミ）」の護符や「蘇民将来（そみんしょうらい）子孫家」の護符を付ける習慣があるが、この久那斗乃神は日本全土の神々（日本各地にいた大国主の意）の頂点に立つ大々王であり、毎年十月に全土から神々（日本各地にいた大国主の意）を召集し、神議（カムハカリ）を執り行った「佐陀（サダ）大神」のことである。この神は、龍蛇（リュウダ）神を奉じた出雲古族（原出雲族）の大王だ。この佐陀大神のサダはサタとも言うが、その意味は「沙汰（さた）」である。沙汰を下す権限にある者を指すものだ。沙汰とは、召集を通知したり、合議の後に物事を処理したり、物事の是非や善悪を裁定し

たり、命令や指示を下したり、決議内容を発令するなどの意味で、その時期には全国のオオクニヌシ（大国主）と呼ばれる神々が留守になった。そこから十月を出雲では神在月（かむありづき）と呼び習わし、出雲以外は神無月（かむなしづき）、神無月（かんなづき）と呼ぶようになったと言われているが、これは事実ではないとする説もある。出雲大社の下級神職にある御師（おし：御祈祷師の略）が大社信仰を普及するために伝え広めた作り話とするものだが、神無月の語源には様々な説があってその真意は定かではない。

ただ言えることは、出雲王朝は大和王朝の成立以前にこの国を統治していたのは確かである。とは言え、真の出雲王朝は、天孫族とは別系の天神族（半島からの渡来民）の王とされたスサノオ（須佐之男神）を神祖とするものではなく、その時代よりもさらに遡り、波波木神（波波岐神：ハハキノカミ／蛇木神／荒覇吐神：アラハバキノカミ）を奉じる海人系製鉄民であるところの八岐（ヤマタ）族が治めていた原初の出雲国であった。よって出雲古族とも言うべき八岐（ヤマタ）族は龍蛇族とも呼ばれ。因みに、伊勢の皇大神宮にはその「波波木神（ハハキノカミ）」が今も祀られているが、祭祀の場所は内宮の辰巳（東南）の方角、その祭祀は「巳」の刻に行われる。辰は龍、巳は蛇を表すことから龍蛇との関わりをもつ。伊勢の神宮の源流は龍宮だったと言う話がある。内宮の元宮は伊雑宮（イザワノミヤ／伊佐和宮）とされ、太古この神宮は陸（おか）の龍宮と呼ばれたそうだ。二見ケ浦の興玉神社もその臭いがする。

古語で蛇のことを「ハハ」と言う。蛇を神として崇め、その神の依り代として巻き付く木を御神木とした。それが「蛇木（ハハキ）」の原意であり、「波波木（ハハキ）」の語源であった。古代の人々は蛇が鎌首をもちあげた恐ろし気な様子を「荒ぶる神」の化身と捉えた。そこから「荒波波木神（アラハハキノカミ）」とも呼ばれるようになり、後に波波木（ハハキ）が省略され、やがて荒神（アラガミ）と呼ばれるようになった。

龍蛇神（ハハキノカミ）が出雲古族の神だったことを示す証拠の一つに、出雲大社の年賀神事がある。出雲大社の正月は、龍蛇様（りゅうださま）と呼ぶ背黒海蛇（セグロウミヘビ）をトグロ巻きにして三方（さんぼう：神道で神に捧げる食事を載せる台）に飾り、出雲大神に捧げると言う神事がある。出雲大神とはオオクニヌシ（大国主／オオナムチ：大巳貴神）のことだが、実は、この神事には古より隠されてきた裏の儀式がある。それともう一つ、大社の真後ろには正体が今イチ判然としない「素鵞の社

（そがのやしろ）」と呼ばれる社殿が建っているが、その理由を知っているだろうか？

神道に造詣の深い方やスサノオ（須佐之男神）に興味のある人なら、素鵞（そが）は須賀（すが）に通じることや、須賀と言えばスサノオ（須佐之男神）のことだから、素鵞の社に奉られているのはスサノオと思うはずだ。由緒にも確かにそう書いてある。ところが真実はそうではない。

また、この社殿はカゴメ歌にある「後ろの正面」でもあり、この社殿に奉られている存在が「後ろの正面、誰？」の答えともなる。では、この社殿が大社の「後ろの正面」に建つ目的は何か？　それは、大社の本殿内で西側を向いて鎮座する大国主を背後から監視することにある。この奇妙な構造は、大和王朝に屈した出雲大神が決して正面を見ることなく横を向いた状態にしておくため、西向きのままであり続けるための黄泉（ヨミ）封じ的な呪術なのだ。（※西は太陽の沈む方向であることから黄泉の国を指す）。そして、出雲大社の年賀神事に隠されてきた裏の儀式とはこの「素鵞の社」の本来の祭神に深く関わる。それは、カゴメ歌の「後の正面」だけでなく、猿楽能の舞台裏に奉られる「後戸（うしろど）の神」にも繋がる。その答えもこの「素鵞の社」に隠されているのだ。

さて、クナトノカミ（久那斗乃神／龍蛇神）には別名がある。サダノカミ（佐陀神＝去蛇神）である。そしてその神には御子がいた。サダミコ（佐陀御子神＝太陽神）だ。またの名をサロヒコ（狭漏彦）、フルネームを「清之湯山主三名狭漏彦八島篠命（スガノユヤマヌシ　ミナ　サロヒコ　ヤシマシノノミコト）」と言う。狭漏彦（サロヒコ：アイヌ名）は佐牟留比古（サムルヒコ）とも呼ばれているが、「サロ」はアイヌ語に聞こえ、「サムル」はツングース系モンゴル語（朝鮮半島を経由）のように聞こえる。と言うのも、ニギハヤヒ（饒速日命）のまたの名は「フル（布留命）」、オオクニヌシ（大国主命）のまたの名は「クル（久留命）」で、共にツングース系モンゴル語とかなり類似しているからだ。そこから「サムル（佐牟留）」を考えると「サルタヒコ（猿田彦）」の名が浮かぶ。ホツマツタエ（秀真伝）の古文書ではスサノオ（須佐之男命）の御子に「サムルヒコ（佐牟留比古命）」がいる・・。

その名を記すものが、旧、但馬国一之宮の粟鹿（アワガ）神社（兵庫県朝来市）」の社録にあったので紹介したい。それは「蘇我能由夜麻奴斯彌那佐牟留比古夜斯麻斯奴命（ソガノ　ユヤマヌシ　ミナ　サムルヒコ　ヤシマシヌノミコト）」である。ここでは「スガ（清）」が「ソガ（蘇我）」になっている。

この粟鹿神社の粟鹿の文字は暗号のようだ。「粟」は「西」と「米」で構成される。「米」の発音は「メ」だ。「メ」は「ミ」に音韻変化する。それに「鹿」の発音の「ロク」をあてると「西のミロク」となる。則ち「キリスト」のことだ。それを先ほどの「蘇我」が裏付けする。「我は蘇る」である。これは「キリストの復活」を暗示しているようにも思える。

　これからすると、「素鵞（ソガ）の社」は「須賀（スガ）の社」ではなく、「蘇我（ソガ）の社」のことだと判る。であれば、「素鵞の社」に奉られている主が誰なのかが解る。そこで二つの名をそれぞれの字から読み取ると、清は蘇我（ソガ）、之＝能はノ（接続詞）、湯山主＝由夜麻奴斯は熊野真主（ユヤマヌシ）、三名＝彌那は御名（ミナ）、狭漏彦＝佐牟留比古は猿田彦（サルタヒコ）、八嶋＝夜斯麻は八洲（ヤシマ）で日本の国土を指す古語、篠＝斯奴＝志奴（志奴美命：シヌミノミコトとも呼ばれている）のシヌ・シノのヌ・ノは接続詞、シは古語で大人（ウシ：偉大なる存在）となる。

※因みに、八洲（ヤシマ）とは日本の国土を指し、大八洲（オオヤシマ）は世界を指す。

　とすると、この神の真実の姿が見えてくる。この神のフルネームの意味は次のようになる。「蘇我の地である出雲の熊野（クナトノの地の意味）の地、その真実の主（あるじ）の御名は佐陀比古（サダヒコ）、国の偉大なる存在、その命」となる。サダヒコ（佐陀比古）とサダノミコ（佐陀御子）が出雲ではごっちゃになっているが、サダヒコ（佐陀比古）はクナトノカミ（久那斗乃神）の別名、そのサダヒコ、佐陀大神ことクナトノカミ（久那斗乃神）の嫡子がサダノミコ（佐陀御子）である。そしてこのサダノミコがサルタヒコなのだ。嫡子だからこそ、サルタヒコもまたクナトノカミと呼ばれたのであり、後にサダヒコの名を継承することになる。

さて、よって「素鵞の社」に奉られている正体は一つ。クナトノカミ（久那斗乃神／龍蛇神）だ。カゴメ歌にある「後ろの正面」の存在も、猿楽（申楽）能の「後戸（うしろど）の神」も、すべてクナトノカミを指すものだったのである。

スサノオが高天原（タカアマハラ）から追放されて出雲の地にやって来た時には、すでに先住の神と先住民がいた。その神とはクナトノカミであり、先住民はそのクナトノカミの化身である龍蛇神を奉じる出雲古族であった。そこで、スサ族（スサノオとその一族）は先住の古族を征服することにした。

スサ族は西出雲から奥出雲の地域を製鉄の領地として支配し、その後は、良質の鉄を求めて大山から蒜山を経由し、山陽側に入ったので出雲にはスサ族がいなくなった。そして入植したその地を吉備国（きびのくに：現在の岡山）とした。出雲古族を封じ続けるための一種の呪詛的手法が、前述したように、龍蛇様（ウミヘビ）を三方に載せて出雲大神に捧げる神事である。龍蛇様は、今日ではオオクニヌシの眷属（けんぞく：お使い）としているが、それはまるで違う。龍蛇神の本質はクナトノカミの化身なのであり、オオクニヌシはその代理者でもあったので、三方に載せた龍蛇は、クナトノカミの化身を生け贄の形をもってオオクニヌシの御前に掲げ、オオクニヌシに見せしめるための儀式であった。これは本来の出雲神を封じるための呪術であった。この儀式において、ある意味ではオオクニヌシもクナトノカミと同じ立場だと言えよう。だからこそ征服者はオオクニヌシが社殿の中で西を向いておく必要があったのである。なぜなら、黄泉国（ヨミノクニ：死者の国）の王と定めたオオクニヌシが東または南の方角に正面を向くと言うことは、クナトノカミの地上への復活を意味することになるからである。つまり、正月に龍蛇を三方に載せてオオクニヌシに捧げる神事も、オオクニヌシが社殿内で西の方角に（太陽の沈む方向に黄泉の世界があると信じられていた）正面を向き続けることを強いた構造も、すべては出雲古族を封じ込めの呪術であったのだ。その出雲古族の奉じるクナトノカミの神筋（直系）

にあたるのがサルタヒコである。

　ところで、伊勢の正月に各家の玄関先のお飾りに「久那斗乃神（クナトノカミ）」の護符を付ける習慣がある。それだけではない、「蘇民将来（そみんしょうらい）の子孫也」という護符もあって、そのどちらか一つを付ける習慣にあるようだ。久那斗乃神はサルタヒコのことでもあり、蘇民将来はスサノオに関係がある。このサルタヒコに関わる名とスサノオに関係する名が共に護符として正月に飾られることには意味がある。何もこの護符を付けるのは伊勢に限ったことではないが、伊勢の皇大神宮のある地でアマテラス（天照大御神）を護符にしないで、サルタヒコとスサノオに関する護符を家の入口に掛けるところが、何らかの意味が隠されている。蘇民将来とスサノオの関係は前述した内容に関係がある。スサノオ族は出雲から吉備に入り、そこでスサノオを牛頭天王（こずてんのう）として奉斎することになるが、牛頭天王には蘇民将来（ユダヤの過越祭と酷似する）伝説と言うものがある。蘇民将来とスサノオの関係が釈日本紀の備後国風土記に記されている。その内容は、ここでのサルタヒコの主題から逸れるので省略させてもらうが、ただ、その護符は共に厄除けであって、久那斗乃神のクナは災いが「来な」に通じ、牛頭天王のコズは災いが

「来ず」に通じるところでもあり、駄洒落のように聞こえるかも知れないが、そこに古代の言霊信仰の片鱗が垣間見える。

『天宇受売探訪〜大宮売大神考』

※オオミヤメ（大宮売神）の実体がアメノウズメ（天宇受売神）であり、そのアメノウズメの正体がアマテラス（天照大御神）であったことはすでに述べた。そしてそのことを証明するには、宮中八神の神々を調べる必要があった。宮中八神は、天皇（天皇家）に関わる重要な神々であることに敬意を表し、それぞれの神の名を見ると、そこには皇祖神の中で日神とされるアマテラスの名は見当たらない。その中にアマテラスは含まれていないように思えたが、そうではなく、別称をもって宮中八神の一柱として奉られていることが分かった。では、その検証に移る。宮中八神の一神「オオミヤメ（大宮売神）」がそれにあたる。この女神には別名がある。「イヅノメムスヒ（厳芽産霊）」だ。ここからアマテラスの正体がオオミヤメであったことの証明に移る。ではその宮中八神の神々の名を見てみよう。

宮中八神：タカミムスビノカミ（高御産霊神＝タカムスヒ：高産霊）
カミムスビノカミ（神御産霊神＝カムムスヒ：神産霊）
イクムスビノカミ（生産霊神＝イクムスヒ：生産霊）
タルムスビノカミ（足産霊神＝タルムスヒ：足産霊）
タマツメムスビノカミ（魂積産霊神＝タマヅメムスヒ：魂留産霊）
オオミヤメノカミ（大宮売神＝イヅノメムスヒ：厳芽産霊）
ミケツガミ（御食津神＝ミケツムスヒ：御饌産霊）
コトシロヌシノカミ（事代主神＝コトシロムスヒ：辞代産霊）

平安期～室町期（応仁の乱まで）、大内裏の神祇官のいる西院の敷地内西側に設けられた「八神殿」に奉られていたが、明治以降は皇居の宮中三殿の中に合祀され現在に至る。

この最後から二番目の「ミケツガミ（御食津神）」は別名ミケツムスヒ（御饌産霊）とも言うが、これは稲荷の三柱神の一柱「ウカノミタマ（宇迦之御魂神）」のことである。しかし、この章ではオオミヤメが主題なのでこれには触れないでおこう。

さて、これを見ると、オオミヤメには「イヅノメムスヒ（厳芽産霊）」と言う別名があることが分かる。「イヅノメ」とは、イザナギ（伊佐奈木大神）が黄泉国（ヨミノクニ：死霊界）から戻った時、そこの穢れから禍津神（マガツカミ：邪神魔霊）が生じたので、その穢れがもたらす禍（災・厄）から心身を元正（もとただ）す上でカムナオヒ（神直日神）、オオナオヒ（大直日神）、イヅノメ（伊豆能売神）の三神が顕現したとあり、その元正す働きをする「イズノメ（伊豆能売神）」のことだ。この元正し直す神は「厳（イヅ）」と言う男系の名を有しながら、その本体は女系の魂を持つものである。それはアマテラスが女神でありながら男神の出で立ちで高天原に登ってくるスサノオを迎えた出来事と対をなすものだ。その両者の雌雄一体の姿は、衆生を救うと言われる観音菩薩の姿と相通じるものがある。

さて、そのイヅノメだが、イヅノメはその名が示すように「厳の女」である。そのことからイヅノメとは「イヅノミタマ（厳魂）」を指すものでもある。つまり、イズノメは「撞賢木厳魂（ツキサカキイヅノミタマ）」、そのフルネームを「撞賢木厳魂天疏向津媛命（ツキサカキイヅノミタマアマザカルムカツビメ）」である。則ち「アマテラス

（天照大御神）」のことに他ならない。ならば、アメノウズメはオオミヤメでありながら、向津媛命（ムカツビメ）でもあり、アマテラスでもあることになる。俄には信じ難いような話だが、それを裏づける内容が「天の岩戸開き神話」には示されている。

天の岩戸が開き、天の真榊（マサカキ）に吊るした鏡に映った自分の姿を見て、天の岩屋の外に出ることになったアマテラスだが、その正体は、鏡の法則（相応の理）に照らすと明らかとなる。天の岩戸が少し開き、その隙間から外を覗くと、自分と同じ姿をした女神を目の辺りにした。アマテラスは鏡に映った自分の姿を見たことになっているのだが、果たしてどうなのだろう？　そこにはもう一人のアマテラスがいたのではないか？ならばそれは誰か？　それを暗示するのが前述した「撞賢木厳魂」である。その御魂はまた真榊（マサカキ）に吊るした鏡の名でもあった。鏡の名とする「撞賢木厳魂」、それは本当のことだろうか？　否、そうではないだろう。それは鏡の名などではない。その鏡を持っていた神の名。それは「イヅノミタマ（厳魂）」と言う名を有する女神、それは鏡を吊るした真榊を手に持ち、神楽を舞った「アメノウズメ（天受売神）」のことに他ならない。

さらに、この場面で鏡が使われたのには意味があった。鏡には太古より呪力があるとされ、その言葉の「カガミ」そのものに言霊が宿るとされていたことだ。鏡の「カガ」は「輝ける」の意味だが、「輝きを見る物」それが「カガミ」であった。古代において鏡は太陽光の反射を交信に使う神器であった。また、鏡はアマテラスの依り代として拝するものであるのだから、太陽の輝きを見る「カガミ」とはアマテラス自身でもあったのだ。

ところが、「カガミ」には隠された別の意味がある。アマテラスを象徴する鏡の対極には、その鏡に映った日神の姿に「蛇の目（蛇神の象徴）」が映し出されることだ。蛇のことを古語では「カカ」と言い、蛇がこちらの方を「見る」ことを「ミ」で表したので、これを「カカミ」と呼んだ。つまり「鏡」は、「蛇に見入られることで呪縛された状態にする呪器」でもあった。光をあまり通さない場所で「鏡」を覗くと、漆黒の中に底知れぬ不気味な光を見たりするが、その様子が蛇の黒く光る目によく似ている。この蛇の目はまた「トグロを巻いたような目」を暗示させる。「渦目（ウズメ）」である。渦目（ウズメ）はまた「大宮目（オオミヤメ）」でもある。大宮目（オオミヤメ）とは「神殿の扉の前に置かれた鏡」のことだ。これはアマテラスを象徴するものである。このことからも、オオミヤメの化生がアマテラスであることが分かるだろう。

古事記や日本書紀によればアマテラスを女神としているが、秀真伝（ホツマツタエ）の内容に目を通し、民間伝承の深部を探っていくと、古代での日神（太陽神）は男神（オガミ）としており、アマテル（天照御魂神）と呼ばれていたことが分かる。また一説に、その日神（太陽神）のアマテルを奉る斎女（イツキメ）が日神に向かう（太陽神に対座し斎仕える）向津媛命（ムカツビメ）の正体だったとある。そして、その斎女（イッキメ）が身罷る（亡くなる）と今度は逆に日神として奉られる側になってしまう。それがアマテラスの真相であったと言う。しかしなぜ、身罷った斎女の霊魂をアマテラスの荒御魂（アラミタマ）と定めたのか？である。荒御魂（アラミタマ）とは、そもそもが「蛇神」を指す隠語だった。すると、この斎女（イッキメ）は「蛇神」との因果関係がありそうに思える。古代の神産みの玄理にも見られる「太陽と蛇」の関係である。

古代において太陽はアカカガチ（赤酸漿／鬼灯：ホオズキの古名）に似るとしており、また古語でカガチは、蛇の霊とか蛇の威力、蛇の目を表し、そこからアカカガチは「赤い蛇の目」となる。そこに「日神」と「蛇神」の関係が見える。

「日神」と「蛇神」の関係を示唆するものとして日本書紀の神代紀〈下〉に、『サルタヒコの眼は八咫鏡（ヤタノカガミ）の如く、赤酸醤（アカカガチ）に似る』と記しており、さらに神代紀〈上〉には、『ヤマタノオロチ（八岐大蛇）の眼は赤酸醤（アカカガチ）の如く・・』と記している。八咫鏡は古より日神の依り代とされているので、サルタヒコも「日神」を指すものであり、ヤマタノオロチは「蛇神」そのものであるから、サルタヒコは「日神」であると同時に「蛇神」でもあって、その日神の光（太陽光）を孕んだ斎女は蛇神と化すのである。古代の出雲では蛇神を「荒神」と呼び、それを龍蛇（リュウダ）様としたが、その姿はクナトノカミの化身であり、またクナトノカミは「日神」としてのサルタヒコでもあることから、その妻神とされるアメノウズメは、「日神」の光を孕んで「蛇神」と化した斎女とも符号し、その蛇身はアマテラスの荒御魂とも重なり、さらにムカツビメ（向津媛命）とも重なることになる。

ところで、トヨウケ（豊受大神）が女神ではないことを示唆した伝承もある。そのことが伊勢の度会（わたらい）神道の教義に記されている。

それは『外宮のトヨウケと天地初発の創造神であるクニトコタチ（国常立大神）は

同体』とするものだ。天地の創造神は陰陽統合体（雌雄一体）なのでクニトコタチもそうあらねばならないが、通説では男神とされている。その異名同体説からすれば、トヨウケも男神ということになる。前述したように、クニトコタチ（国常立大神）はクニソコタチ（国底立大神）でもあり、その実体がクナトノカミ（久那斗乃神＝岐神）だとすると、それはサルタヒコ（猿田彦神）なのだから、トヨウケ（豊受大神：豊宇気比売神ではない）はサルタヒコともなる。だからこそ、「稲荷の男神は天地初発の創造神だった」と言うことにもなる。サルタヒコがクニトコタチであったなら当然そうなる。そこで、トヨウケには女神と男神の二柱があることが分かる訳だ。

立柱石と天津磐境

ところで、わが国の古における祭祀のあり方は、長石棒（棒状の石）を大地に突き刺して立て「立柱石」とし、その周囲には立柱石より細めで短めの棒状の石を地面の十六方向、三十二方向、四十八方向と放射状に並べ「放射石」とし、その形を神の依り代としたものである。これを「天津磐境（アマツイワサカ）」と呼んだのだが、この構造は世界中に見られるストーンサークルと同じである。しかしこの仕組みが利用されたのは太古のことで、現存している「放射石」は石組みが方向通りに正しく並べられておらずその数は曖昧またはデタラメだ。

太古の日本の祭祀は社や祠ではなく巨石や石塊を崇めるものであって、その祭祀の形式も磐座（イワクラ：岩石）祭祀であったり、磐境祭祀であったりした。

特にこの磐境祭祀の形式は、遥か太古、太平洋上にあった大陸文明において行われていた大地を豊饒にするための自然科学の玄理を継承したものである。大地を豊饒にするこの玄理によって大地は豊饒となった。これこそがトヨウケ（豊受大神・豊宇氣比売神）と呼ばれた言葉の真意である。

因みに、この天津磐境に使用された石は、二酸化硅素（ケイソ）を多く含んだ珪岩（けいがん）が選ばれたようだ。

さて、この「立柱石」と「放射石」だが、太古の出雲ではこの「立柱石」をクナトノカミ（久那斗乃神）と呼び、菊花状に配列された「放射石」をククリヒメ（菊理姫）とした。この「丄」と「米」の石組み構造が後に、陰陽のサルタヒコ（猿田彦神）とアメノウズメ（天宇受女神）として表される道祖の神仕組みをもって受け継がれていく。クナトノカミは久那斗乃神と記し、岐神とも記されるが、岐はチマタとも読み、八衢神（ヤチマタノカミ）とは同じとすることから、岐神はサルタヒコのこととし、またクニソコタチ（国底立神）のことでもあるとする。このクニソコタチは、日本書紀第一の一書と三書の冒頭に天地開闢の神としてクニトコタチの別名として登場し、二神を同体とすることから、「立柱石」はクニトコタチ（国常立神）のことにもなる訳だ。

このクナトノカミの柱状とククリヒメの菊形、サルタヒコとアメノウズメの道祖の仕組みは、イザナギ（伊佐奈岐神）とイザナミ（伊佐奈美神）の国生みの玄理にも通じ、それらのすべては陰陽結合・天地和合の玄理、則ち、宇宙軸を立て天と地を結ぶ回転と螺旋の波動玄理、本来の産霊（ウブスナ）の玄理であった。「天津磐境（アマツイワサカ）」の実体はこれであって、太古よりイナリに伝わる「生命創生の秘儀」は、この「天津磐境（アマツイワサカ）」の玄理と同じくするものである。イナリ秘教では「天津磐境（アマツイワサカ）」を、渦状（卍形状）に動く回転波から螺旋波（渦）を発生させる生命力の活性化装置と定義している。「立柱石」は陽極（男根的役割）としてのサルタヒコを、「立柱石」を中心として菊花状に配列した「放射石（方位石の役目もする）」は陰極（女陰的役割）としてのアメノウズメを表す。この石組み構造、その機能の一つは、天の氣が天空から「立柱石」を目掛け、それに巻き付くように螺旋を描きながら降下し、続いて「放射石」を這うように伝い、大地に分散・放流されると言う働き。それとは逆にもう一つは、地の氣を地底から地表に向けて上昇させる働きにもあって、地の氣が菊花状に配列した「放射石」に吸い寄せられるように流入し、続いて「立柱石」に突き当たると、それを伝い巻き付くように螺旋を描きながら上昇、天空に向けて放出すると言う働き。この天の氣と地の氣の作用を

陰陽の働きによる宇宙創生の原理
「サルタヒコとアメノウズメの玄理
は太古の宇宙創生の螺旋原理」

陽石としての天津磐境
（ストーンサークル：環状列石）
「サルタヒコとアメノウズメの名で継承され
た太古の大地豊饒の原理」

受けることで大地は豊饒になり、穀物も豊穣になる。この石組みの陰陽の構造に、トヨウケ＝豊宇氣（豊受）の神仕組み、ウカノミタマ（宇迦之御魂神）の玄理があった。

このように「天津磐境（アマツイワサカ）」は天地の氣を永遠に円環運動させ、大地を豊饒にする役割を担っている。これらの構造は、太古の地上界に生きた賢者たちの感得した自然科学の知恵であった。

神社に刻印された古代の秘儀

一、神社（聖所）が神聖空間であるのは人間側の意識にある。

神社や聖所が神聖空間であり続けるには、それを祭る側、礼拝する者の意識が何よりも「神聖状態」にあるかどうかにかかっている。つまり、神社や聖所を神聖な空間にするのは我々の意識のあり方次第だと言うことだ。我々の意識がそうなれるかどうかであり、私たちが常に「意識の目覚めた状態」をもって、目の前に示された「霊的啓示や象徴（シンボル）を受け取れる状態」にあるかどうかにかかっている。

二、神社は霊的シンボルに満ちている。

神社は古代の人々の聖なる英知を伝える霊的シンボルの宝庫である。そこには「人類進化の鍵」が散りばめられている。

『鳥居』

「鳥居」は「神域への門、神聖性と出会うゲートである」。鳥居については「赤い鳥居の秘密」のところで少し触れており、話が重複することになるが、鳥居は「神の在」、「神の居られる霊域」を表す。

神道において、鳥居は神社の神域を守る結界をなすものだが、神域と現世を分ける境界に立つ門でもある。神社の境内を囲む「玉垣」もまた、神界と現界とを分ける結界となるものだ。

秘教霊学においての鳥居の定義は「神界参入の門」とする。鳥居を潜ることは神界への参入を意味するのだ。鳥居はそもそも鳥の止まり木のことであるが、秘教霊学における「鳥」は「霊魂の象徴」である。そして、鳥居に止まる鳥は「神域を監視する神鳥（護霊）」でもあって、「これより先は聖浄神域であるから失礼のないよう、ここを潜る者が心身を清めた状態にあるかどうかを監視し、確認を行う役目」にある。そこで鳥居は「霊性の監視、確認を行う検問所」になる訳である。

鳥居＝神界参入

さらに鳥居の機能が物理的に優れている点は、鳥居を潜る者の心身が実際に浄化してしまうことだ。そういう浄化機能は、鳥居の形に秘密がある。霊視によると、鳥居には、イナリフトマニのような渦状のエネルギーが旋回しており、その基本的な流れは、始めに鳥居を潜り抜け、上昇した後に、笠木（かさぎ）を超えて旋回し、貫（ぬき）の下を潜ってもう一度鳥居を通過し、今度は両側に分かれて左右の柱を旋回し、始めに戻るという状態である。その動きはさらに、陽子が原子核を回る姿に似て、複雑な旋回運動になっていく。そのようにして、それは鳥居を取り巻くような形で流動している。それはまた鳥居が存続する限り繰り返されるのである。

『手水舎』

神の霊域に参入する作法の行程の一つとして御手洗（みてあらい）の場がある。それが「手水舎（てみずしゃ）」だ。

神の霊域である神社に参拝する者は自らの心身を浄めねばならない。それにはまず、真清水（ましみず）をもって身を浄めることが大切である。その作法は、右手で水酌を持ち（柄の先を掴む）、その水酌で真清水を掬い左手に注いで浄める。次に水酌を左手に持ち替え同じように真清水を掬い右手に注いで浄める。再び水酌を右手に

手水舎＝心身浄化
（略式の禊：ミソギ＝パプテスマ）

持ち替え、真清水を掬って左手の掌に真清水を注いで受け、口にまで持っていき口中を濯ぐ。最後に同じくもう一度、右手で真清水を掬い、柄の部分を下にして水酌を立て、柄から零れる真清水が柄を伝うように垂らし、柄を浄めて終わる。

この作法で大切なところは、これで肉身が清まったのだ！と思い込むことにある。そう思うことで水もまた天地の「相応の理」に従い、それの浄化の力を発揮することになり、参拝する者の心身を清巡りする。参拝する者がそれを神の真清水と思った瞬間、その真清水は神の霊意識を有する生命体となっているからである。

その御手洗の作法を行うことは参拝する者にとっては重要である。鳥居を潜り、その作法を終えることにより、本殿参拝の真の意義が理解できる。

本殿の参拝を終えて境内にしばらく身を置くと、参拝する者の心身の生まれ清まりがなされるからである。これは「禊（みそぎ）」の重要な点である。この神道の行法である「禊（みそぎ）」については後述する。

『狛犬』

「狛犬（こまいぬ）」は「参道を通る者の魂レベルの審判を担う役目」である。

頭に角がない狛犬は口を開け「阿（あ）」を示唆し、「宇宙の初まり」を表す。角のない狛犬のルーツは「獅子（ライオン）」、その正体は「スフィンクス」だ。それは「真理を貫く義の是非を問う者」の意味である。

「獅子（ライオン）」はまた、ダビデ王統にあるユダ族のシンボルとしたものである。そして、頭に角のある狛犬は口を閉じ「吽（うん）」を示唆し、「宇宙の終わり」を表す。角のある狛犬のルーツは「麒麟」、その正体は「ユニコーン（一角獣）」だ。それは「永遠なる生命の秘密を知る者」の意味である。

「阿吽（あうん）」とは密教の呪文「AUM」を梵字で表したもので、密教の教義ではこの「阿吽」の二字が「万有の始原と究極」を象徴するとしている。西洋の秘教学ではこの二字を「アルファ（α）」と「オメガ（Ω）」としている。

阿の狛犬（スフィンクス）

参道（正中）

吽の狛犬（ユニコーン）

魂レベルの審判＝宇宙の始まりと終わりの問い＝正中を進む者

すなわち「宇宙の初まり」と「宇宙の終わり」である二体の狛犬に挟まれた「参道」は本来、「霊性の進化を望む純粋な魂にある者が歩むことの許される道」であり、特に、正中（参道の真ん中の通り）は「神の通る道」として、一般の人々がその道を通ることはタブーとされている。また、その「正中」を通ることが許されるのは、「神を拝し、私心を離れ、神の心と一つになることが適った者」のみである。参道を通り、神殿を拝することは、本来はそれだけ神聖なものなのである。そのようなことを教える人は、今日では神社関係者か神道家以外にはいないのではないかと思う。

スフィンクス

ユニコーン

スフィンクス

麒麟

狛犬

『神殿』

「神殿」は「聖所」である。「神社」は「神の居わす聖なる時空」、その中心に鎮座する「社殿」は「神に対しての祈りの的（まと）」である。

本殿＝聖所

龍神と雷鳴＝覚醒

「社殿」の扉を開くとその向こうに何があるのか？ところによっては御神体を置いている神社もある。その御神体が石だったり、剣だったり、神符だったり、古代文字であったりする。それらを古代から受け継いでいる神社は、それらを神霊の依り代としている。実のところ、社殿の中には何もない。神社とはそういうものだ。いや、そういう構造にしてある。これまで神主さんや巫女さんは神社に仕えてきてはいるが、そこに神様が居られるのだと心底から信じている人は少ないだろう。また、例え神様に会いたいと思っても、真の神霊への扉はめったに開かれることはない。よく考えれば分かるのだが、神様は暗くて狭い社殿の中になどに居られるはずがない。そもそも神様がいつでも一つの場所に留まっていたりはしないだろう。その御神体は宇宙大、活動は宇宙規模であるはずだからだ。しかし、宇宙規模でどこにでも居られるということは、今までその場所に居ないとしても、神聖統一すれば瞬時に同通するはずであるから、祈る者の心のあり方次第で、神様は常にどこにでも存在することになる。

神は存在するのか？しないのか？の論議はさて置き、白翁老は神社について次のように述べている。

白翁老の曰く、
「あると思えばある。ないと思えばない。殿中に天地宇宙あり。扉を開かば即ち息吹生ず。神の御社、それ人の身の雛形なればなり。」

これが宇宙の玄妙な法則であり、事象が現れる意識の力の玄理であると言う。社殿の中には宇宙があると言う。社殿の扉の向こうには久遠の宇宙が広がっていて、その扉を開くと、そこから宇宙の呼気（吐く息）が起こる。神社は人間の存在を悟らせるためにあり、人間の身体も神社と同じ構造にあると説いている。

則ち、人間の体は神の御社（みやしろ）、肉宮（にくみや）だと言っている。我々の身体が神社と同じなら、我々の中にも宇宙がある。肉体の内側にも宇宙があると示唆している。つまり、「我々人間は自らの中に宇宙を抱いて生きている」と説いているのだ。

社殿の前に立ち、上を見上げるとそこには「シメ縄（注連縄）」が張られてあり、

「鈴」が掛けられている。この「シメ縄（注連縄）」は捩（よじ）れているのだが、なぜ捩れているのかというと、その長く捩れた形が「蛇体」を表し、「龍神」を象徴しているからだ。「鈴」は「雷鳴」の象徴とされる。龍神の雄叫びなのだ。太古においては「雷光」は「神の在」を、「雷鳴」は「神の力」を表すものだった。実際、「雷電」のエネルギーは「大地を豊饒にする力」があったのである。

『拝殿』

「拝殿」は「高次との交信を行う場」だ。手水舎で心身を清め、社殿の手前で龍神の洗礼を受けた後に、拝殿に座し、そこで「神への祈り」を行う。そして「静かに高次との交信」を行う。「祈り」は言い換えれば「神聖統一」である。「祈りを行うこと」は「神聖統一に入り、高次との同通を図ること」を言う。

扉が開かれて神と出会えるのが理想だが、稲荷秘文に「神は御形なく・・」という文言があるように、神には姿がなく、それ故、目にすることはできない。

しかし、社殿を通じて神を感じ取ることはできる。信じる人の心に啓示という方法で高次の意志はもたらされる。目に見えなくとも、そこに神聖なる存在があるのだと信じれば、そこにその存在は顕現する。そこに自分の信じる神霊が居られる。そう信じていれば、その人にとってそこに神霊は実存する。そこに霊氣を放つ存在を感じ取るだろう。あるいは、そこに自らの精神を正しく導く深い愛が満ちていると信じていれば、自らの内なる領域を通じてその深い愛は顕現される。また、そこに崇高なる叡智があると信じていれば、自らの脳裏を通じてその叡智は知らせをも

拝殿（祈りの場）＝神聖統一の座

たらすに違いない。そしてパワーもそうである。

そこに深遠なる霊的パワーが存在すると信じていれば、いつしか自分の周囲に奇しきパワーが集まってくる。宇宙は「鏡の法則」で成り立っている。それは神の次元であっても高次の次元であっても例外ではない。自分の発する思いが反射して自分の元に戻ってくる。神を信じることは自分を信じることと同じだ。だからまずは自分を信じることである。自分の命を深く信じて、自分の思いを信じ続けるべきだ。「あると思えばある。ないと思えばない・・」であるから、何よりも先に信じることから始めなければ、創造的な人生は何も始まらない。

『神楽殿（神楽舎）』

「神楽殿（神楽舎とも舞殿ともいう）」は「ワザオギ（俳優伎）をなす者が心技一体をもって神我一如の境地へと至る場」である。これはイナリ秘教による定義だ。

そして「神楽（かぐら）」は、日神アマテラス（天照大神）の再臨（太陽神の復活）を願い、天の岩戸の前で舞ったアメノウズメ（天宇受売命）の伎（わざ）に始まる。古くはササラ（佐々良）、ワザオギ（俳優伎）と呼んだ。伎舞（わざまい）とも言う。

　その伎舞（わざまい）とは、わが身を神のカミクラ（神座）、ヒモロギ（神籬）とし、神懸りの状態となって神の託宣をするもので、それが神巫（かんなぎ）、神招ぎ（かむおぎ）の業（わざ）であった。しかし託宣の本質は、宇宙の時空（霊的次元）に刻印（霊的記録）された霊的情報（秘教言語・霊的象徴）の読み取りにある。古くはそれを神のお告げとしたのだ。カミクラ（神座）とは「神の座（クラ）」のことで、この神座（かみくら）が神楽の語源となった。ヒモロギ（神籬）とは「神霊の室（ムロ）となる木」と言う意味である。神巫（かんなぎ）は「巫（みこ：シャーマン）」のことで、神霊を心身に招くので「カムオギ（神招ぎ）」とも言い、「神のヨリシロ（依り代）」、「神のヨリマシ（依り坐し）」となる者」のことを言う。古代の巫（みこ）は女性とは限らなかった。

　神楽とはもともと精霊信仰における「タマフリ（魂振り）」の動作にあり、精霊（神霊）を心身に迎え入れるために激しく魂を揺す振り、入神状態となって舞う伎（わざ）であった。そのことによって精霊（神霊）に感応し、精霊の発する言葉を聞くのである。古代のわが国において、山の民の間では、冬に衰えた太陽のチカラの復活を願い、あるいはそのチカラを強めるために、神を大いに讃えるための呪術を行った。そして、里の民の間では、山へ還った神霊に再び里へ戻って来てもらうことを願い、その年が豊作になるかどうかを神霊に伺うための神儀であった。

神楽殿＝心技一体をもって神我一如とする場

『天の御柱』

「天の御柱（あめのみはしら）」とは何かを知るには、前のページの「神楽殿」のところで説明した「カミクラ（神座）」や「ヒモロギ（神籬）」の玄理が分かれば理解しやすい。それは「神の依り代（よりしろ）」となるものであることが分かる。但し、この場合は人間ではなく、檜（ひのき）の柱だ。なぜ「天の御柱」に檜が使われるのかと言うと、檜は霊ノ木（ひのき）だからだ。こう言う語呂合わせに似た使い方は神道のすべてに付いて回るが、それはわが国に古より伝わる言霊（ことだま）信仰によるものだ。神社には必ず「神奈備（かんなび）」という装置がある。神奈備（かんなび）とは、神霊の宿る御霊代（みたましろ）的霊域や、神代（かみしろ）、神霊の依り代となる自然を御神体（ごしんたい）とする神域を言う。神奈備山（かんなびやま）がそうで、「天の御柱（あめのみはしら）」もそれである。そもそも天の御柱とは、神代においてイザナギ（伊佐奈木命）とイザナミ（伊佐奈実命）の国造りにおいて使われ始めたものである。それを初源とする。

丹後宮津の「天の橋立」の伝説では、この御柱は天界に通じる梯子とされ、これを伝ってイザナギ・イザナミは天地を往来すると言う。御柱と言えば諏訪大社の「御柱祭（おんばしらさい・みはしらまつり：正式には式年造営御柱大祭と言う）」がある。ただ、この御柱祭の木の材質は檜（ひのき）ではなく樅（もみ）である。

天の御柱＝神の降臨

ところで、この御柱（おんばしら）は「石神（ミシャクジ／ミシャクチ）」の依り代とされる。ここでまた「石神」なるものが登場する。この「石神」を現代風に言い換えれば一種の霊的装置であり、世界中に見られるものだ。太古の建造物と言われている「立柱石（りっちゅうせき）」とも符号する。また、御柱祭での「御柱立て（みはしらだて）」は、伊勢の皇大神宮の「心の御柱」と構造は似ている。これらの「天の御柱（あめのみはしら）」と同じ働きにある構造は、イナリの創生玄理に照らせば「宇宙軸」である。この宇宙軸は世界中に見られる。太古の「立柱石」を始め、古代ローマの「オベリスク」などもそれにあたる。この宇宙軸をイナリ秘教に照らし身体に表せば「体幹（たいかん：仙骨を正中心に定めて背骨を立てる）」となる。私の主宰する太礼道神楽伎流の玄舞ではこの体幹を何よりも重要視し、これを定めることを「天の御柱立て」としている。話を神の依り代（よりしろ）に戻す。神社には必ず「神奈備（かんなび）」という装置がある。神奈備（かんなび）とは、神霊の宿る御霊代（みたましろ）的霊域や、神代（かみしろ）、神霊の依り代となる自然を御神体（ごしんたい）とする神域を指すが、神奈備山（かんなびやま）もそうで、主に三角錐状の山を指し、古の人々はその雄大もしくは美麗な山容を神の依り坐す山とした。神奈備山はそれ自体が御神体なので、神体山（しんたいざん）とも呼ばれる。縄文あるいは弥生時代から原始信仰の対象であった富士山（静岡県と山梨県に跨がる浅間神社の神体山）や三輪山（奈良県桜井市：大神神社の神体山）を始め、日本全土にその姿を見ることができる。ところで、この神奈備山はエジプトの「ピラミッド」にあたる。その石組みで造られた山もまた世界中に見ることができる。神道において、白砂を円錐形に盛る形代（カタシロ）なるものがある。これは神奈備山を象って、それとして見立てたもので、これを立砂というが、これなどは上賀茂神社（別雷神社：京都市）の細殿前に見ることができる。

立砂＝神奈備

以上のことから、神の依り代（よりしろ）として見立てたり、造られたりしたものは、イナリ秘教においては「霊的変容の生命活性場」と捉えている。現代における「ゼロ磁場の形成装置」といったところだ。

神社の構造は古代ヘブルの聖所（幕屋）に似ている

古代ヘブライの神殿は「幕屋」と呼ばれる移動式であったが、幕屋はその名の通り、周囲を幕や板で囲んだもので、その中で神に捧げる祭暁（さいがい）を行った。幕屋の構造は聖所・至聖所・拝殿に分かれており、祭壇には明かりを点す常夜灯があり、その脇に手を洗うための水盤が置かれてあった。さらに、ソロモン神殿の前には賽銭（さいせん）を入れる箱まで置かれていたのである。

これらの様式はわが国の神社の構造とよく似ている。この囲むという概念は、古代ベブライの「幕屋」と比べると全部が同じではないが、伊勢の皇大神宮の神事祭礼にも見られ、幕屋の中で執り行なわれる神聖不可侵の神事祭礼内容は古代ヘブライの幕屋と同様に極秘とされている。

因みに、この幕屋とは直接関係しないが、日本には江戸末期まで「幕府」と呼ばれた武家の主導による政治構造が存在した。幕府とは陣中（戦場）にあって幕屋を張り、そこに本陣を置いて将軍が軍事の采配をしたところから使われるようになっ

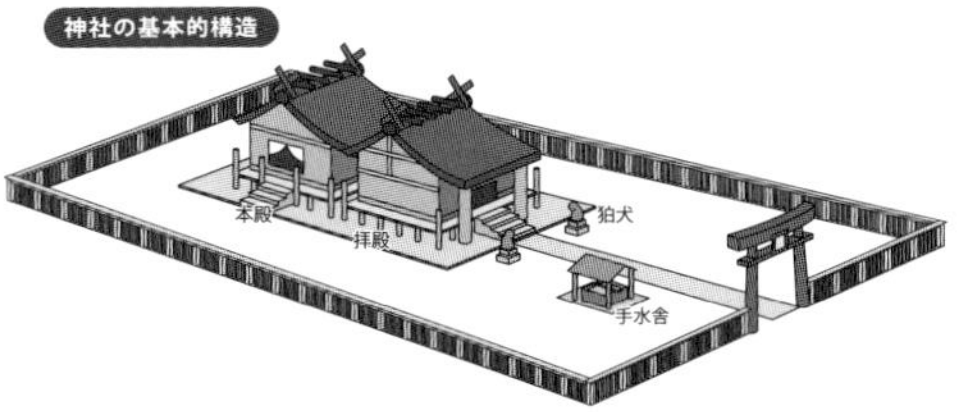
神社の基本的構造
本殿
拝殿
狛犬
手水舎

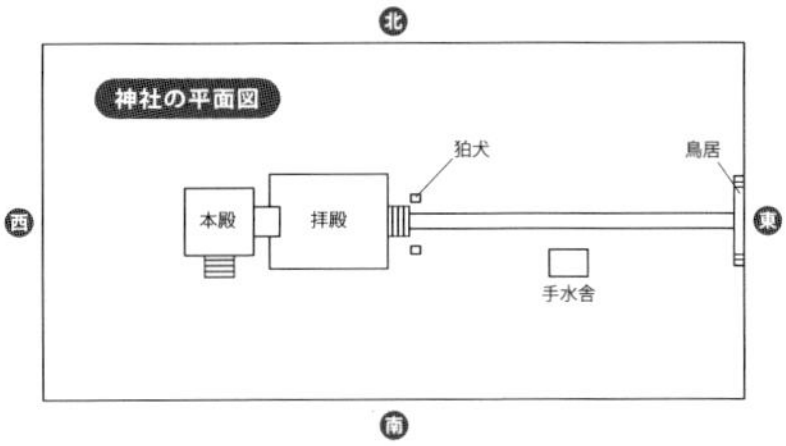
北
神社の平面図
狛犬
鳥居
西
本殿
拝殿
東
手水舎
南

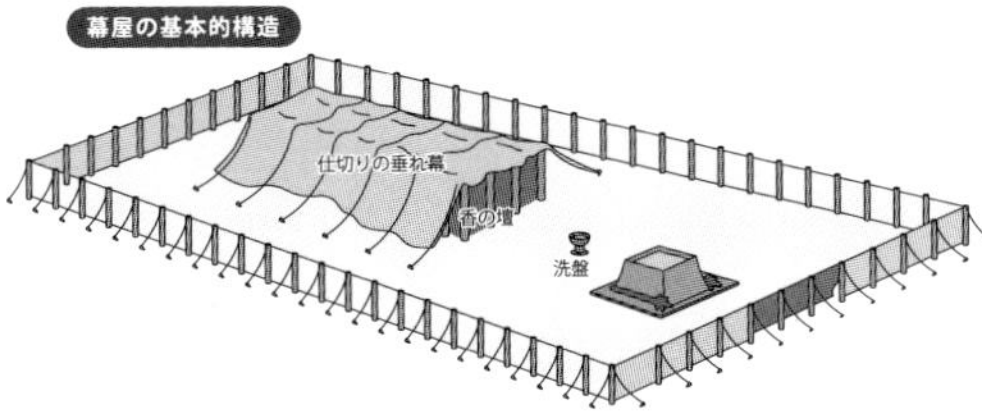
幕屋の基本的構造
仕切りの垂れ幕
香の壇
洗盤

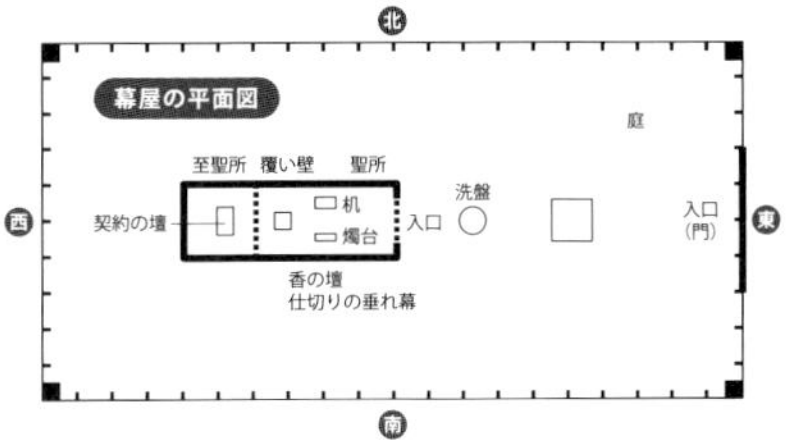
北
幕屋の平面図
庭
至聖所
覆い壁
聖所
洗盤
西
契約の壇
机
燭台
入口
入口
(門)
東
香の壇
仕切りの垂れ幕
南

た呼称の名残である（後に将軍の政務本拠を指す武家政権の政庁名となる）。

これなども含めて考えると、幕屋というものが置かれる何らかの理由があり、それがモンゴルのパオのように移動に便利な簡易な建造物という意味だけではなく、そこに共通する何らかの力の構造がありそうだ。実際、太礼の式典で、丹後の磯砂山（いさなごやま／山頂に天の真奈井の本来の聖井とされる御池が存在する）の麓（伏墓：トヨウケヒメの居住跡）に神事祭礼の場を設け、幕屋を張って神楽祭礼を執り行ったことがあるが、白幕をその祭礼の場に張ったことで、得も言われぬ、厳かな氣が辺り一面に立ち込め、その場が神聖な空間となったのを憶えている。

伊勢の秘密・内宮と外宮の秘儀

伊勢には、二見ヶ浦の沖合の海底に磐座をもって奉られている興玉神がある。興玉の玉は日玉（ヒタマ）のことで、原初の日神（太陽神）を指すものだ。これが最も古い伊勢大神であり、その実体はサルタヒコ（猿田彦神）である。イナリの秘密を握る太古の賢者はこの日本の地に霊的秘教を施した。その重要な霊智の一つが二見ヶ浦である。伊勢の皇大神宮に参拝する際、この二見ヶ浦の海中で禊（みそぎ：心身の清め）をしてから神宮霊域へ参入するのが本来である。それは現在でも行われている。さて、この二見には天地陰陽の意味が示されており、その二つの結びの重要性が説かれている。禊祓祝詞には「筑紫の日向の橘の・・小戸の阿波岐原に禊ぎ祓いし時に顕れ座せる祓戸の大神等」の一節があるが、筑紫（つくし）とは「尽くし」であり、「尽くし抜いて死に就く」ことの暗喩で、日向（ひむか）とは「日迎」、橘（たちばな）とは「永遠の生命の霊果が生る樹」、小戸（おと）とは「天の岩戸を象徴する御戸（おと）」、阿波岐原（あわきはら）とは阿波は「天地（あわ）」、岐は「境（ちまた)」、原は「胎(はら)」を表すものだが、これの意味は、『尽くし抜いて死に就いた日神を迎えるための、永遠なる生命の霊果の樹(生命の樹)を求めるにあたり、天上の世界で生(陽氣)を司るイザナギ(伊佐那木神)と地底の世界で死(陰氣)を司るイザナミ(伊佐那実神)が、地上の世界(境)にある人間の胎中で一つに和合し、結ばれるところに永遠なる生命の霊果の樹が存在し、その実が結ばれる』という意味である。その霊果を手にして、遂に人間は念願の理想郷の実現が可能となることを示したものだ。二見ケ浦はその天地陰陽を二つの磐座で表し、その天地陰陽の結びをシメ縄で表したのが夫婦岩である。伊勢大神(日神・太陽神)を迎えるためのこの夫婦岩は言うなれば太陽門(太陽神霊界へのゲート)である。自らの霊性の向上に臨む者はその神門を前にして心身を清めねばならない。自らの心身がその伊勢大神(日神・太陽神)の崇高なる光を迎えるために行うのだ。この構造を陸に遷したのが伊勢の神宮、皇大神宮の内宮(ないくう)と外宮(げくう)である。

二見ケ浦の夫婦岩
／海中での禊（ミソギ）

宇治橋の神宮鳥居

太陽門／太陽神霊界への参入
（死と再生の通過儀礼）

内宮・外宮の正殿（しょうでん）の床下に「心御柱（しんのみはしら）」と呼ばれる忌柱（いみばしら）が建てられている。これは天御柱（あめのみはしら）とも天御量柱（あめのみはかりのはしら）とも呼ばれ、これを建てる「心御柱奉建祭」は非公開で、夜間に行われ、それは神宮域内で檜を伐り出す「木本祭」から始まる。神宮の遷宮諸祭の中でもこの「奉建祭」は大変重要視されてきた深夜の秘事である。それほど「心御柱」は特別な御柱なのだ。ではその正体はいったい何なのか？

その答えは「稲荷の三柱神」のところの説明にある。伊勢の正月ではお飾りに

「クナトノカミ（久那斗乃神）」の神札を付けると説明した。このクナトノカミは龍蛇（リュウダ）を神として奉じた出雲古族（原出雲族）の本主で、その継承者は「佐太（サタ）大神」であり、稲荷の祭神「佐田彦（サダヒコ）大神」であった。つまり、伊勢の地霊は伊勢大神とも呼ばれた「サルタヒコ（猿田彦神）」だったのである。なぜ「心御柱」なのか？　なぜ「心御柱」が土中に埋め込まれるのか？

覆屋（おおぎや）で隠された
心御柱＝大地主の暗示

その「心御柱」は、大地の床（トコ）に立つことから、地床立（クニトコタチ）、また、大地の底（ソコ）に差してもいるから、地底立（クニソコタチ）でもある。

それはまさにサルタヒコことクナトノカミが龍蛇の姿を象徴するものであり、それもまた御柱をもって表されたものなのである。そこから考えると、伊勢の神宮の根元は龍宮であり、そこに奉られる神の本元は龍神であった。そして、この龍神の存在は夜明けを知らせる長鳴鳥とも深く関係する。

常世の長鳴鳥＝夜明けの告
＝魂の目覚め

伊勢の皇大神宮にはなぜ尾長鳥（オナガドリ）がいるのか?それは神代において、天の岩戸開きの時、アマテラス（天照大御神）を天の岩屋から誘い出そうとして、オモイカネ（思兼命）の神が策を練り「常世の長鳴鳥（とこよのながなきどり）」を集めて一斉に鳴かせたと言う神話によるものだ。この「長鳴鳥」は常世の鳥とされているので実体は定かでないが、おそらく鶏の一種なのだろう。神宮では尾長鳥をその代用として境内に放っている。鶏は夜明けを知らせる鳥だからである。古代エジプトの神秘学では、鶏ではなく「朱鷺（トキ）」をこれに当てている。ピラミッドの建設を指導した神官で、王でもあり、練金術師でもあったヘルメス・トート・メギストスは朱鷺（トキ）を「時代の夜明けを告げる象徴」とした。そして後の秘教学者はヘルメス自身をそのシンボルとし、彼の頭部を朱鷺（トキ）の首で表した。この「時代の夜明け」とは「永遠なる生命の秘密を解き明かし、永遠なる生命の秘儀を修めた者だけが新たな時代を迎えることができる」といった意味である。このヘルメスの説く「永遠なる生命の秘儀」は後に、秘教学を修めた賢者らの渡来によって古代の日本に伝えられた。これについては続編で詳しく述べたいと思う。

イナリ秘教では、内宮（ないくう）を日神の宮居、外宮（けくう）を月神の宮居の仕組みとして、内宮は正殿をもって「霊命としての厳（光輝体）」を、外宮もまた正殿をもって「肉命としての瑞（幽気体）」と定めている。内宮に奉られる日神は、「天に座せる産霊（むすひ）の聖なる霊光を地の万命に入魂する存在」として、外宮に奉られる月神は、受けたるその霊光を、「地に座せる産土（うぶすな）の奇しき霊氣と結び合わせ、この星の豊かな恵みに変え享受する存在」として、その宮居の仕組みと神名をもって、人類が果たす役割を象徴したものと捉える。また、密教においては、内宮を「金剛界」、外宮を「胎蔵界」と定義している。

この内容についても長くなるので続編に譲りたい。

伊勢の皇大神宮

神道の行法「禊（みそぎ）」

禊（ミソギ）は本来、川や海で行うものだ。神道での禊（ミソギ）は、穢れを清めるために行われるものとしているが、それはあくまで「型示し」であって、禊（ミソギ）に臨む本人が「自らを清める意志、生まれ清まるのだという決意や信念」がなければ清まるものではない。イナリ秘教では、「水は意識を有する生命体」と捉えている。よって、人間の意識を水は読み取るので、確かに水は禊（ミソギ）をする人間の浄化に働きかけるエネルギーをもっているに違いない。水もまた螺旋流動するものだからである。ところで、身の清めができるのは水だけではない。言葉によってもなされる。それは「言霊」によってなされるものだが、それが祝詞の「祓い詞（ハライコトバ）」である。また、仏教でも「般若心経」をもってそれはなされる。般若心経の中の急所部分は「ギャーテイ・ギャーテイ」であるが、その原意は「皮を剥（む）く」である。「果実の皮を剥くように、心に付着した執着を剥（は）がしていくこと」をいう。それをしてこそ「涅槃に入る」ことができるとしている。サンスクリット語で涅槃をニルバーナ（安らぎ）というが、それは「安息不滅」「心に和らぎを得たことで完全な安らぎに至った境地」のことである。禊（ミソギ）は本来そういう状態になるものでなければ意味がない。禊（ミソギ）を行った結果として完全不滅の心になる。そうあってほしい。その意志があれば、水もそのためにその意識とエネルギーを総動員するのだから。

禊（ミソギ）は「水」と「言葉」の他にもう一つ「氣」によっても可能である。氣もまた螺旋流動するものであるからだ。氣は丹田呼吸によって体内を巡り、体の隅々まで浄化してくれる。丹田とは氣海丹田のことで、臍のすぐ下にある霊的エネルギー中枢のことだ。ヨガではマニプーラチャクラという。この力を使って心身を浄化するのだ。

私に秘教霊学を伝えた老紳士は、神道の行法の「禊（みそぎ）」とキリスト教の「パブテスマ（洗礼）」はルーツを同じくするものだと語った。シルクロードの西方と東方の果ての地がそれによって繋がるところが意味深である。しかし、「洗礼を受けた者のみになぜ聖霊が降臨するのか?」その答えは遥か遠き古、太霊とのウケヒ（誓契）をもって生を受けた、天に坐す神が発する未然の言葉を受けし聖なる者「ヨハネ（パブテスマのヨハネ）」は、魂の純化と救済を、イエスをもってキリストに成らしめことで、聖霊の降臨と大いなる神聖の力（チカラ）の証を人々に見せたことに端を発する。パブテスマは「人は身を清めることで、心を清め、その洗礼によって誰もが自らの心身にその聖霊の降臨を迎え入れることができる」ことを約束したのである。教会内での洗礼はその象徴である。

　教会における洗礼は、現在は清めた聖水を用いるが、ヨハネがそうであったように古くは川に浸かって行われていた。神道で行う禊（ミソギ）と同じであることはすでに述べた。この川で行う清めは世界中で普遍的に共通するものだ。インドのガンジス川では古の清めの姿が今もなお変わらずに続けられている。

　因みに、「清清（すがすが）しさ」という言葉は、この「身を清め、心を清める」ことから来ている。因みに、「清々（せいせい）する」という言葉もその本源は同じである。今ではあまりいい意味として使われないが・・。

「身を清める本質とは何か」？　それを解き明かす鍵は、日本神話の天の安河の段で、スサノオ（須佐之男神）とアマテラス（天照大御神）がお互いの神器を清め、ウケヒ（誓契：契約）を行った「契約の章」の場面にあり、日本神話の冒頭に登場する阿波岐原で禊（ミソギ）を行ったイザナギ（伊佐奈木大神）の話の方ではない。とは言っても、スサノオが持っていた神器の「剣」とアマテラスが身につけていた神器の「玉」を漱ぎ清めたのは「天の安河」の方ではなく、「天の真名井」の方の真清水に

あったことだ。そこには日本神道の根幹に関わる重要な秘儀が記されてある。天の真名井には「物事の正否を判断する聖なる純粋性」がある。その純粋性の秘儀とは、霊性を最高純度にする「真澄の鏡（ますみのかがみ）」の業を言い、その状態に向けて心身を「純化」させていくことを「スガ（清）」と呼んでいる。神話ではなぜこの「純粋性」を「契約の章」としたのか？それは身を清める本質が、「契約を違える不純な心の持ち主は、純化された天上界には住むことはもとより、足を踏み入れることすら許されない法度（はっと：律法）」があることを示したものだ。言い換えれば、身を清める本質とは「神の霊域に参入が許されるように心身の純化を図る」ことにある。それこそが人が神社に参拝するために行う人と神との本来の約束事、ウケヒ（誓契）なのである。

日本の神社と古代エジプトの太陽神殿は同じ構造だ

ピラミッド＝太陽神殿

© Bill Munns

エジプトのピラミッドが建造された目的とその構造は、今ではすでに明らかになりつつあるが、私がパリで知り合った老紳士からピラミッドの聖なる秘密を耳にしたのは、今からもう三十年も前のことになる。その老紳士は秘教霊学のマスターということだったが、聞いた話の中で面白かったのは、ピラミッドは「太陽神殿」であったと言うことだ。それも太陽神霊界に参入するための扉の役割にあり、聖なる装置であったという。そして太古では、ピラミッドを中心とした建造物の配置と役割が日本の神社の構造と非常によく似ていることだ。

この神殿を老紳士は「結晶構造として建造された聖堂、クリスタルホールとも呼ぶべき構造で、星間移動の発進基地ともなった施設である」と語っていた。

第四章

伏見稲荷の伝承

稲荷の総本山「伏見稲荷大社」の伝承

稲荷（イナリ）の神は、稲荷大明神とも呼ばれているが、日本の至るところで目にする稲荷神社の総本社が京都の伏見稲荷大社である。稲荷の神は、稲生り（イネナリ）から発生した穀物の神、穀霊などとされ、一般に農耕の神とされている。

京都伏見稲荷大社

主祭神はウカノミタマ（宇迦之御魂神・倉稲魂命）。ウケモチ（保食神）ともミケツ（御饌津神）とも言って、日本神話では生育を司るワクムスビ（日本書紀において稚産霊神、古事記にては和久産巣日神）として登場する。このワクムスビの御子がトヨウケ（豊受神）であり、伊勢の外宮の主神として祭られている。またの名をトヨウケビメ（豊宇気毘売神）と言い、丹後の籠神社の奥宮にあたる真名井神社の祭神である。トヨウカノメ（豊宇賀能売神）、ワカウカノメ（若宇迦売神）とも言う。

京丹後の大宮売神社（京丹後市峰山町大宮）の由緒には、トヨウケヒメ（豊宇気比売神）を、オオミヤメ（大宮売神）の御子のトヨミヤメ（豊宮売神）・ワカミヤメ（若宮売神）のこととしている。そこからトヨミヤメがトヨウカノメ、ワカミヤメがワカウカノメに相当するのが分かる。ところで、このオオミヤメ（大宮売神）は伏見稲荷大社に祭られている三柱神の一柱の神で、その正体はアメノウズメ（天宇受売神）である。

この女神は日本神話に登場する天の岩戸開きに関わる重要な立場にあって、岩戸開きの際に岩戸の周りに集まった高天原の神々の前で神楽を舞い、笑いの渦に巻き込み、岩屋からアマテラス（天照大御神）を無事に誘い出すことに成功したことが古文に記されている。

他にも、五穀や養蚕の起源となったオオゲツヒメ（大宣都比売神・大気津比売神）が古事記に記されているが、この女神の名は国生み神話において、伊予乃二名嶋と呼ばれた四国阿波（アワ）の国名ともなった。

※四国の阿波（アワ：徳島）の古代の国名は伊予乃二名嶋であるが、この国はオオゲツヒメ（大食津比売）の誕生と深く関係している。オオゲツヒメもまた稲荷の神である。これについても別の機会に詳しく述べたいと思う。

「アワ」は古語で天地を表すが、転じて「万物の御現れする領域」を指す言葉となった。つまり「宇宙のすべてが生まれ出る神域」の意味だ。さらに転じて「ヨニ（陰部）」を指す言葉に変化する。そして、この「アワ」から生まれた神が稲荷であった。

天（ア）と地（ワ）の目合い（まぐあい）、天（ア）と地（ワ）のウケヒ（誓契）は、大いなる目（大いなる霊太陽＝大日）の下で一つになるから「ウカ」、天地自然の恵みを預かるから「ウケ」、天地の神より授かる大事な恵みなので「ミケ」、天地と分かれて、初々しく生まれ出るものだからワカである。このウカ・ウケ・ミケ・ワカはムスビ（産霊神）の働きで、アワナギ（阿波奈岐神）の言霊の発動でもある。稲荷の神の名はここから発生した。

「アワ」から生まれ出た神が稲荷の神であるのは言霊の面からも証明される。「ア」の次の言葉は「イ」であり、「ワ」の次の言葉も「ヰ」であるからだ。「アワ（天地）」から「イ（命）」が生まれる。阿波（アワ）から忌部（インベ）が現れたのは偶然ではない。忌部（インベ）の本来の読みは伊部（イベ）なのだ。隠された古代史の一つとして、イザナギ（伊佐那岐）・イザナミ（伊佐那美神）二神の御子にアワナギ（阿波那岐神）がいて、そのアワナギによる阿波国の治世があり、その末裔が忌部（インベ）氏であったと言うことだ。因みに、伊那（イナ）、伊那部（イナベ）、伊奈部（イナベ）の名があるが、その元もまた伊部（イベ）である。

稲荷は以上のような概要であるが、稲荷は昔から霊験あらたかな神と言われ、雨乞い・雨止め・五穀豊穣・商売繁昌・産業興隆・家内安全・交通安全・芸能上達の守護神として数々のご利益を願って祭られており、今日まで人々に広く信仰されてきたが、しかし・・。

稲荷古道の教えの中心は「稲荷愛法」である。稲荷の霊性を教え伝える根本の教義に「自己犠牲」の面がある。オオゲツヒメ（大宣都比売神・大気津比売神）はスサノオ（須佐之男神）から誤解を受けて殺められ、そしてウケモチ（保食神）もツクヨミ（月夜見神）から誤解を受けて殺められたが、相手を憎むこともなく、身罷り、屍となった身でありながらも、地の民が飢えることのないようにと、わが身のその屍に五穀を生やした。穢れたものから生まれ出た新たな命が万命を生かす、その玄妙なる玄理を知ったアマテラス（天照大御神）は大いに誉め讃えたと言う。「万物を愛で慈しむ心」。それこそが稲荷の本義だ。

伏見稲荷の神官家「秦氏」の出自

さて、前章でイエス・キリストの話が出て、その話の中でヘブル（古代イスラエル）に関することも登場し、また秦氏のことにも少し触れたとなると、やはりこの伏見稲荷の章では、秦氏の出自について語らねば片手落ちになるだろう。そこでここからは秦氏の話に移ろう。秦氏をわが国に導いたのは弓月君（ユヅキではなくてユンズと読む）とされる。弓月君はアジア領域にある巨丹（コタン、ホータン）の生まれで、弓月君が連れてきた者たちもその地域の人々と考えられる。そこには二、三世紀の頃より弓月（クンユエ）というユダヤ神秘主義を色濃く残した原始キリスト教団の建てたキリスト教国が存在した。この国の王子が一族を従えて海を超え、日本に渡ったと考える研究者も多い。まるでモーセに従って海を渡ってカナンの地に着いた出エジプト記のようだ。日本書紀（巻十）に、弓月君が多くの民を率い百済からやって来た記載がある。そこには「私は国の民、百二十県の人民を率いてやって来た」と報告している。一県は千人であるから、百二十県は十二万人という凄さである。これはまさに出エジプトの再現とも言える。

このような原始キリスト教を信奉した民族が、日本を目指して大移動をしたのである。だが、それだけの大人数を連れて日本にやって来るにはそれ相応の深い意味や重要な情報があったはずである。一族の指導的な立場にある者の存在と、その民に苦難な移動を決断させ、実行させて、この地に辿り着くことを信念にまで高めた何らかの理由があったに違いない。

実はその理由は、ヘブル民族（古代イスラエル民族）の指導者に代々保持されてきた太古の地図があり、その地図にこの日本の位置が天国と記されてあったからだ。そのことは当然、当時のキリスト教徒の耳にも入っただろう。否、もしかして彼らもその地図を手に入れていたのかも知れない。原始キリスト教徒の求めた理想の国とはこの日本だったのだろうか？

そして、平安の都は築かれた・・。

秦氏の伏見稲荷縁起『大津父（オオツチ）』

欽明天皇がまだ幼少期のある日のこと。『秦の大津父（はたのおおつち）と云う者を登用すれば、大人になられた時に必ずや、天下を上手く治めることが出来るでしょう』という夢を見た。天皇は目が覚めると早速、方々へ使者を遣わし、その者を探し求めさせたところ、山背国紀伊郡深草の里に秦の大津父がいた。天皇はこれを大いに喜ばれて早速大津父を宮廷に呼び寄せ、次のように問うた。

『今までに何事かなかったか』と。すると『別段、何もありませんでしたが、伊勢へ商いに行っての帰り道、山（稲荷山南麓の大亀谷）にさしかかったところ、二匹のオオカミが血を出しながら争うのを見つけましたので、馬より降りて、口を漱ぎ、手を洗い、こう言いました。汝は貴い神であるため、荒い事などを好まれるが、もし狩人が来たならば容易く捕らわれてしまうから争うのは止めなさいと言って血を拭って山へ放してやったので、そのオオカミは二匹共命を全う出来ました』と答えました。そこで、『夢で見た通りの人に会えたのは、おそらく神のお蔭であろう』

と天皇は仰せられて、その後彼を厚く遇せられ、やがて賑わいを呈するようになり、即位されると共に、彼を今で言う大蔵省の重席に任じたとある。

また、伏見稲荷の解説によると、

『稲荷大神は、秦伊呂巨［具］（はたのいろこ＝秦伊呂具：はたのいろぐ）によって、和銅四年（七一一）二月初午の日に鎮座したと伝えられており、秦大津父と秦伊呂巨（秦伊呂具）とは二百年たらずの年差でしかないですが、その脈絡についてはほとんど不明です。しかし不明であるからと言って両者は全く関連はないとは言えないでしょう。深草の里が早くから開拓されて、人の住むところであったことは深草弥生遺跡に見ることができます』とあり、

また、

『皇極天皇二年（六四三）十一月に蘇我入鹿が、政敵、聖徳太子の御子・山背大兄王を亡きものにせんと斑鳩に攻めた時、王の従臣たちは、深草屯倉（みやけ）に逃れられるよう勧めたとあります。この「屯倉（みやけ）」とは、朝廷及び皇族の直轄領のことで、その運営については、在地の豪族、深草屯倉の場合は秦氏族の勢力に期待

するところが大きかったのであろうと考えられています』とも記されている。
因みに、聖徳太子と秦氏との関係は深く、それについては後章にて詳しく述べる。

秦氏の伏見稲荷縁起と伊奈利奥伝『白鳥神話』

伏見稲荷大社の起こりには稲荷の名の由来が深く関わっており、社の記録にはその由来が次のように記されている。

「秦中家忌寸等の遠つ祖、伊呂具秦公、餅を用ちて的（いくわ）と為しかば、白鳥と化りて、飛び翔けりて山の峰に居り、伊禰奈利て生ひき。遂に社の名と為しき・・・」

解説すると、秦忌寸（はたのいみき）の遠い祖先に伊呂具（いろぐ）という富裕者・秦公（はたのきみ）がいた。公は富裕に驕って餅を矢の遊びの的にし、矢を射った。すると、餅は白鳥と化して麓から空に飛び去り、山の峰に降り立った。そこに稲が生った。稲生り（イネナリ）が稲生り（イナリ）の呼称になり、そのことが「伊弥奈利生ひき」と記されて、奉る神名となった。伊呂具はその稲のもとへ行き、過ちを悔い改め、そこの木を根ごと引き抜いて屋敷に植えて祀ったと「山城国風土記・逸文〈伊奈利社〉縁起」に記されている。

餅は白鳥となって飛翔し、鳥は山の峰に降りてその地に稲が生えた。峰に稲が成ったのでイネナリがイナリになったという稲荷大社の社名の誕生譚である。ただこれだけの話だが、この逸話の中には秦氏の謎を解く鍵が秘められている。

その謎とは秦氏の霊的秘教である。それが秦氏のルーツを示すことにもなる。そしてそのルーツとは、秦氏が古代イスラエル人であったことだ。その証拠となる霊的秘教とは、この由緒の真の解釈によって明らかとなる。その解釈とは「死と再生の儀礼」つまり「キリストの磔刑」を象徴したものだと言うことだ。信じられないような話とは思うが、実はそうなのだ。

射られたる餅＝白鳥

キリストの磔刑

秦氏は、稲荷山をゴルゴダの丘、磔刑者を表す餅とロンギヌスの槍を表す矢、白鳥はイエスキリスト、稲穂はキリストの復活に見立てた一種の擬態である。

では、この白鳥伝説をキリストの磔刑の象徴であるとする理由を説明しよう。まず「餅を的として矢を射った構造」、ここに「イエスの磔刑を印した構造」が重なる。秘教霊学において「白鳥」は「霊魂」の象徴であるから、この場面では「天なる父の元へ救済される霊魂」、則ち「イエスの霊魂」を表したものである。

次の「稲が生えた」の意味は、「根付いて穀物が実った」ことを表し、転じて「主の教えが根付いて人々は繁栄した」ことを表している。この場合の人々とは秦氏を指す。つまりヘブル人（古代イスラエル人の総称）のことである。白鳥がくわえていた稲穂（イナホ）は「命根（イネ）の火（ホ）」の意味で、これは秘教霊学における「生命の火」にあたり、聖なる生命が復活を果たす秘儀には重要な鍵となるものだ。そこで、白鳥のくわえていた稲穂がその山頂に根付き、そこに稲が生えたという意味は「霊魂の再生・復活」を暗示するものである。この場合はもちろん「イエスキリスト」を表したものだ。

この話で重要なのは「キリストの復活の玄理」、「生命復活の玄理」が奥秘されたところにある。つまり「キリストの死によって、この世に蒔かれた種が育ち、大いなる実りがもたらされた。この実はやがて再臨するキリストによって刈入れがなされる」というような内容となる。このことから稲荷の白鳥伝説は、原始キリスト教の教えを反映した内容であることが理解してもらえるだろう。

この由緒が誕生した経緯は、秦氏の出自が西域から日本に渡来したヘブル人（古代イスラエル人）だったこと、しかも景教（原始キリスト教）の信徒だったことを示唆している。

秦氏は六世紀頃に朝鮮半島を経由して日本（倭国）に渡来した民族とされており、秦始皇帝がルーツだとも、古代イスラエルがルーツだとも言われている。その秦氏の族長であった秦河勝（はたのかわかつ）は六世紀後半〜七世紀半ばにかけて大和王権で活動した豪族で、生没年は不詳だが、山城国の太秦（京都）を本拠に、大和・明日香・斑鳩などで活躍した厩戸皇子（聖徳太子）のブレーンであった。当時、河勝は大変富裕な商人でもあり、朝廷の財政に関わっていたと言われ、その財力によって平安京の造成、伊勢神宮の創建に関わったという説もある。厩戸皇子（聖徳太子）より弥勒菩薩半跏思惟像を賜り、太秦の地に広隆寺を建て安置した。没したのは赤穂の坂越の地で、坂越の浦に面して河勝を祭神とする大避神社が鎮座している。神域の生島には河勝の墓があり、本拠地としていた京都の太秦（京都市右京区）、河勝の墓のある寝屋川の太秦（大阪府寝屋川市）などに名を残す。また、桂に川勝寺（せんしょうじ／京都右京区西京極）という名の寺があり、その近隣には「秦河勝終焉之地」の碑もある。ちなみに、雅楽師として知られる楽家の東儀家は河勝の子孫とされている。

猿楽『式三番』

能『井筒』

ところで、秦河勝は能楽（のうがく）の祖とされており、室町時代の初期、従来の散楽を猿楽能（翁申楽）として昇華させ、能として大成させた大和猿楽の能役者・世阿弥は、その著書・能の理論書「風姿花伝（第四神儀云）」に、猿楽について次のように語っている。

「上宮太子（聖徳太子）、末代のため、神楽なりしを、神といふ文字の片を除けて、旁を残し給ふ。是日暦の申なるがゆえに申楽と名づく」

解説すると、聖徳太子は後世のために、もともとは神楽であったのを神の偏を除いて旁（つくり）を残された。これが日暦（ひよみ・十二支）の申（さる）の字なので申楽と名づけたと述べている。つまり、申楽（さるがく）の本源は神楽であると世阿弥特有の解釈をしている。

京都伏見に稲荷大社を創建したのが秦氏なら、桂川（西京区）沿いに松尾大社を創建したのも秦氏である。この神社は酒の神であるが、その神社に松尾の名がついたのは、ヘブル人（古代イスラエル人）の食した種無しパン「マッツオ」にヒントがあるようだ。また、讃岐（四国の香川県）に琴平神社（金比羅宮）があるが、この神社も秦氏の創建とされ、元は松尾寺と号していた。

日本人が食する餅は「モチ」と言うが、それを古くは「モッツイ」と発音していたとするなら、その「マッツオ」と語感がかなり似てくる。偶然だろうか？　それにもまして、松尾大社を創建したのは秦都理（ハタノトリ）だと言う。これがもし「秦の鳥（ハタノトリ）」とすれば、伏見の稲荷大社の神体山である稲荷山と松尾大社の神体山である松尾山との関係性の全体像がよく見えてくる。

当時日本に来て、山城（現在の京都）に入植したヘブル人（古代イスラエル人）の秦氏は、おそらくその餅を食したと思われる。何らかの理由で、日本で小麦の栽培ができなかったヘブル人こと秦氏は、酒造りの技術を生かし「モチ（餅）」造りを始めた。後に彼らの食した種無しパンの代用として「モチ（餅）」を食するようになったのではないかと思われる。

話が少し回り道したが、その秦氏の白鳥伝説が稲荷（イナリ）の語源となったことを由緒に記したものだ。ただし、面白いことに、松尾大社はなぜか酒の神となっている。と言うことは、マッツオとは逆になってしまう。そうなると種無しパンのマッツオどころか種有りの麹の神と言うことになるではないか。なぜそうなるのか？　秘教学ではその理由を次のように説く。「種の無いパンはキリストの肉に喩え、肉の世は終わりを告げ（肉の世の種は無くなる）、種で醸すワイン（御酒）はキリストの血、聖妙なる血は永遠に受け継がれる（血は魂の乗り物、永遠に息づく魂の種を運ぶ）」

伏見稲荷の創建者は秦氏。当初のその秦氏を秦伊呂具（はたのいろぐ）としているのは前述した通りだが、この秦伊呂具はもともと賀茂伊呂具（かものいろぐ）であったとする説がある。そうすると、伏見稲荷の実際の創設者は賀茂氏であることになる。そこで、伏見稲荷を創設した賀茂氏を上賀茂神社の賀茂氏や下鴨神社の鴨氏と区別するために、加茂系秦氏と呼ぶことにする。

ところで、秦伊呂具は秦鱗（はたのうろこ）とも言う。伊呂具（いろぐ）はともかくとして、鱗（うろこ）とは奇妙な名だが、他にも秦鯨（くじら）、秦鮒（ふな）など、秦氏には魚に関する名が結構ある。キリスト秘教学で魚はキリストを象徴し、おそらくその名は景教に関係するところからの名なのだろうと思う。因みに、景教とは「光の信仰」という意味である。それはこの本書を通しての根幹ともなるテーマであるが、イナリ（生命）の本質を解き明かす鍵はこの「光」にある。因みに、イナリはアラビア語で「光を与える者」もしくは「光のドーム」という意味である。これは偶然の一致だろうか？　否、そうであるはずはない。

※景教伝来は、以下の道程をたどった。古代キリスト教ネストリウス派→アッシリア東方教会→ペルシャ人司祭・阿羅本入唐→景教伝道→唐都大秦寺→弓月君渡来→秦氏→平城京秦楽寺→平安京太秦寺。
因みに、平安京になる前の山城（山背）の地は秦族の領地だった。彼らが山城（山背）の地に入植したとき辺りは沼地が多かったが、この地が風水の地勢に適しているのを知った秦河勝は積極的にこの地を改造した。当時、河勝は厩戸皇子（聖徳太子）に秘教霊学を教授していたが、皇子が薨去した後、平城京から山城（山背）の地に遷都が決まり、その時、河勝は一族の全領地を帝都として、また、太秦（うずまさ：現在の地ではない）にある自らの邸宅を帝の住居と政務を司る御所として桓武を天皇とする朝廷に差し出した。それが京都御所である。その京の都を「平安京」と名付けたが、その名はヘブル語で都を表すイール、または神を表すエル、平安はシャローム、アラビア語ではサラーム、則ちイール・シャロームは「平安の都」、エルサラームは「神に

よる平安」を意味する。つまり平安京とは「エルサレム」のことに他ならない。

厩戸皇子（後の聖徳太子）もまた鳥と縁を有する人物である。皇子が太子となり、摂政となってからは住居を斑鳩（イカルガ）に移した。ここでも、厩戸皇子に飛鳥や斑鳩（イカルガ）という鳥に因んだ名が関係している。斑鳩（イカルガ）の名はもちろん景教の影響下にあると思われる。というのも、ヘブル語で「祈り」を「イルカガ」と言うのである。当時、厩戸皇子の両脇を秦河勝と蘇我馬子が固めていたが、その馬子の嫡子の名は入鹿（イルカ）なのだ。この入鹿と厩戸の関係はその名から推察すれば見えてくる。その話は長くなるので割愛したい。その話は、後日出版予定の『イナリの暗号（籠目編）／籠の鳥の行方、明日香麗し』で詳細説明するので、興味のある方はそちらを読んでもらえればと思う。

河勝は斑鳩に度々通い、厩戸に秘教学を教授していた。その秘教学とは景教である。そこで厩戸も景教徒であったと思われるが、馬子もまた景教徒だったに違いない。なぜなら、キリストの再臨を暗示させる「我は蘇る」の姓を冠しているからである。三者は景教で繋がっていたのだ。当時、河勝が居住していた太秦の地には広隆寺（別名、太秦寺）と蚕ノ社があるが、その広隆寺には、河勝が厩戸から譲り受けたミロク仏（弥勒半伽思惟像）が安置されている。ミロク仏とは、未来に下生するとされている未来仏のことだが、そのルーツは古代ペルシャに発祥したミトラ教の太陽神ミトラにある。未来に再び生まれて来るとされるそのミロク仏の未来降臨思想は、キリスト教に影響を与え、キリストの再臨思想となるが、河勝は未来に降臨するというそのミロクを厩戸皇子に重ね合わせた。

聖徳太子（厩戸皇子）
キリストに似た誕生説

弥勒菩薩（ミトラ）
未来仏（ミロク降臨）

秦河勝（猿楽能楽の祖）
モーゼに似た誕生説

※厩戸で生まれた子とは馬屋で生まれたイエスキリストを指すが、実は馬子の家で生まれた入鹿を指すものでもある。

ところで、広隆寺創建当時の祭政の地は、大海人皇子（後の天武天皇）が帝都を近江から古き都の飛鳥に遷都し、新たな政庁を開いたところだ。この大海人皇子は凡海（おおあま）氏に育てられたとある。凡海はオオシアマとも読み、丹後の海のことを言うのだが、当時の丹後には、丹後・丹波・但馬・西若狭に至る領域に大勢力を有した海部氏がおり、凡海氏はその海部氏の伴造であった。言わば海部一族である。

古来丹後には中国文化の影響にあってか不老長寿にまつわる伝説があり、羽衣天女伝説に始まり、浦島龍宮伝説、かぐや姫伝説、八百比丘尼伝説、徐福伝説など数多い。おそらく中国大陸から来日した人々が神仙思想を持ち込んだのだろう。大海人皇子こと天武天皇の諡（おくりな）にもその神仙思想にある道教の影響が見られる。

ちなみに諡（おくりな）というのは、帝（天皇の意）などの貴人の死後において、生前の事績への評価に基づいて奉る和号のことである。その影響の見られる諡号（しごう）は、天渟中原瀛真人天皇（あまのぬなはらおきのまひとのすめらみこと）だが、この名に記される瀛（おき）とは、道教における東海に浮かぶ仙人の住む三神山、蓬莱、方丈、瀛州、その瀛州の瀛を指すものである。真人（まひと）を道教では真人（しんじん）と呼んでいるが、真人は優れた道士のことを言い、瀛と同じく道教的である。

厩戸皇子の説明の途中でなぜこんな話をするのかと言うと、厩戸皇子の母である穴穂部間人皇女（あなほべのはしひとのひめみこ）、後の間人皇后は、丹後の地に深い関わりがある。穴穂部の名は石上穴穂宮（いそのかみのあなほのみや）で養育されたことに由来するとされているが、穴穂（あなほ）は穴太（あのお）に通じ、穴太と言えば穴太衆（あのおしゅう）。穴太衆と言うのは、寺院や城郭などの石垣施工を扱う石工衆（いしくしゅう）で、丹波・丹後・但馬・西若狭などの全域を網羅していた丹庭（たにわ）の国を母体とし、中でも丹波を本拠として全国に勢力を伸ばした石工技術者の集団である。石工と言えば・・そう。全世界を自由に行き来し、霊的秘教に通じた石工結社を思わせる。

因みに、広隆寺は、またの寺号を太秦寺と言うが、この寺は仏教の寺ではなく、もともとは景教の寺だったと言われている。後に、厩戸皇子は聖徳太子の名で大工の祖神として崇敬されるようになるが、大工はキリスト教の西洋の世界で言えば石工を指すので、後に聖徳太子と呼ばれた厩戸皇子と前述した穴太衆は石工と丹波・丹後も含めた丹庭（タニハ）のところで繋がっていく。

　そしてその石工の先の話についても驚嘆する話があるが、それはこの本の主題でもなく、また、この本の真の意図を誤解することになってもいけないので、ここまでにしておこうと思う。ただ、それが石工にしろ、芸術家にしろ、事業家にしろ、真理の道を志す者には必ずや聖なる高次の扉が開かれる時がやって来るので、その時その者は、さらなる高次の霊性を目指し、自らの属する生命領域を去ることになる。そのような様々な年月を経て、聖白色秘教団の聖院に至る者も、聖大師霊団の秘境に辿り着く者もある。宇宙的至高レベルに到達した彼らは、あるミッションを担うと共に、超古代における人類創生の秘密と未来における人類の霊的進化の鍵を握っている。それらの覚者たちのすべてが未来仏であるとも言えるのだ・・。

※聖白色秘教団：神秘の光輝の世界に到達した元聖テンプル騎士団としておこう。
聖大師霊団：実際名をアレンジしている。地上界に派遣されたシャンバラの使者団。

未来仏：インド仏教でのマイトレーヤ、中国仏教・日本仏教での弥勒仏（弥勒菩薩）、異なる密教経由で日本に伝わり正体不明とされた摩多羅（マタラ）神。古代ペルシャの全域で信仰された太陽神ミトラ（ミスラ）、古代ローマで信仰された太陽神ミトラス、古代ヘブル人が信仰した太陽神ミ・レ、さらに、趣は異なるが、日本神話に登場する正体不明の神とされているマスラ神、出雲神話ではこの神をサルタヒコ（猿田彦神）の父としており、一説ではマスラとは益荒男を指し、スサノオ（須佐之男神）のことだとしている。明治後期に誕生し、大正から昭和初期にかけて隆盛を誇った神道系の教団である大本の聖師と呼ばれた大霊能者・出口王仁三郎氏はスサノオ（須佐之男神）の霊の化身とされたが、後にミロク大神の化身であると教祖のナオ氏のお筆先（自動書記）に記された。このお筆先にはスサノオ（須佐之男神）の正体がミロク（弥勒仏＝未来仏）であることが記されている。これまで正体不明とされてきたマスラ神が、もし異説でのスサノオ（須佐之男神）がそのマスラ神であったなら、マスラ神はミスラ神であって、則ちミロク神であることを証明するものである。

ところで、丹波も丹後もヘブルやキリスト教に結縁のある地で、丹波では、古くは原始道教（ヘブル密教）を持ち込んだ秦氏、丹後では、古くはその秦氏の流れの中で来日した秦の徐福、飛鳥時代においては、蘇我氏と物部氏の争乱を避けるために間人（タイザ）に身を寄せた間人皇后（穴穂部間人皇女）、戦国時代においては、丹後全土の領主となった長岡藤高（細川幽斎）の嫡子、細川忠興（後に丹後国の宮津城主となる）に嫁ぎ、後にイエズス会の宣教師によって洗礼を受けた細川ガラシャがいる。

その穴穂部間人皇女、後の間人皇后のハシウドの読みはハシヒトとも読めるが、ハシとはペルシャのことだ。ペルシャをペルシャ語でファルシーと言い、その音訳を古代中国では波斯（ハシ）と記した。その音訳がそのまま日本に持ち込まれて、古文に波斯人（ハシヒト）と記されているのだ。つまり波斯人（ハシヒト）とはペルシャ人のことである。一説に厩戸皇子の瞳は青かったと言われているが、もし間人皇后がペルシャ人なら、その嫡子である厩戸皇子がそれであったのも考えられなくもない。

ところで秦氏だが、当時の日本における秦氏と言うのは、何もヘブル人（古代イスラエル人）だけを指してそう呼んだのではない、ローマ人（古代ラテン人）もペルシャ人（古代イラン人）も、アラビア人（古代アラブ人）もエジプト人（古代エジプト人）もすべてまとめてそう呼ばれたのである。

※古代エジプト人：エジプト土着民族に、ギリシャ、ローマ、アラブ、トルコなどの民族の混血（遺伝子の流入）を経て形成された民族で、その独特な宗教観や宗教儀礼は当時のヘブル民族（古代イスラエル人）に多大な影響を与えその宗教形成の基礎となった。

さて、流れを石上（いそのかみ）に移そう。石上は石神を暗示させるトリックだ。石神は石上神宮（奈良県天理市布留町）に祭られているが、わが国では昔から石は隠語でイスラエルのことだとする。なので、石神はイスラエルの神を示唆している。それを裏付ける根拠に宝剣・七支刀（ななつさやのたち・しちしとう）がある。それは、物部氏の武器庫の役割も担った石上神宮の武器保管庫から発見された。またの名称を六叉の鉾（ろくさのほこ）と言う。問題なのは、この七支刀の形状がヘブル人（古代イスラエル人）の神であるヤハウェへの祈りの儀式で、祭壇上に置かれるメノラーという七つの枝をもつ燭台を思わせるところにあった。

メノラーとは、ヤハウェの命令によって幕屋（まくや）の聖所に置かれることになった純金の七枝の燭台のことで、聖書の中の出エジプト記に記されており、それを起源としているが、古代も今もユダヤ人にとっては重要な祭具であり、重要なシンボルともなっている。一つの可能性として、穴穂部間人によって、海部氏が本拠とした丹後の地と、また物部氏の重要な拠点である石上の地が、ヘブル（古代イスラエル）という一つの線で結ばれている可能性があるところに古代のロマンを感じる。

七支刀

メノラー

伏見稲荷神官家の稲荷縁起「龍頭太伝承」

ホツマツタエ（秀真伝）という古文書に、伏見稲荷のもう一方の神官家にあたる荷田氏と、稲荷山に奉られるサダヒコ（佐田彦神）との関係を証明する内容が、淡海（アワミ／滋賀県琵琶湖）の三尾にあることを次の一節の中で語られている。

「イワツクワケ（磐衝別命）がサルタヒコ（猿田彦命）のアマナリノミチ（天成道）を学ぶため、淡海（アワミ／滋賀県琵琶湖）の湖西にある三尾（ミオ）の地を訪れ、そこで暮らし、その地で薨去（こうきょ）した。皇子のイワキワケ（磐城別王）は、父のイワツクワケ（磐衝別命）を三尾の山に葬り、麓に水尾神社を創建した」

太古より三尾山に坐す神はサルタヒコ（猿田彦神）とされているが、この一節にサルタヒコ（猿田彦神）とあるのは伏見稲荷のサダヒコ（佐田彦神）である。そのサダヒコ（佐田彦神）が奉られている磐座（いわくら）は稲荷山（京都伏見）にあり、その山の一之峰にあるが、どういう訳か、太古より一之峰・二之峰・三之峰に奉られてきた三柱神は、時代によって色々入れ代わったりしていることから、その一之峰の祭神・サダヒコ（佐田彦神）も変遷した時期があったようである。神社側の公表では、一之峰の現在の祭神はオオミヤメ（大宮売神）としている。

荷田氏は、雄略天皇の皇子のイワキワケ（磐城別王）の後裔とも伝えられていることから、ホツマツタエ（秀真伝）に記されたサルタヒコ（猿田彦神）の功績と、イワキワケ（磐城別王）の記録、そして、荷田氏の明かされたルーツによって、イワキワケ（磐城別王）と荷田氏とはサルタヒコ（猿田彦神）で一つに繋がるのである。さらに、荷田氏はその皇子の後裔にあることで、古くから伏見稲荷の神官家であった自らの一族が皇族の血脈であることを仄めかしている。

しかし驚くのはそれだけではない。荷田氏には他に二つの出自がある。その一つは、荷田氏は空海（幼名：佐伯真魚）の実母の実家であったこと、しかも当時、東寺の執行職の阿刀氏とも姻戚関係にある豪族だったことである。後の一つは、この出自には深遠で崇高な、ある秘密があり、それは故意に隠されてきた歴史でもあった。荷田氏の出自と歴史は、加茂氏（加茂・鴨・賀茂・迦毛の別がある）の関係や秦氏の関係から解き明かされたものであるが、そこまでは今回の本題でもないので、また別の機会の出版に譲らせてもらうことにして、話の流れを本稿に戻そう。

稲荷山の柴守長者「荷田龍頭太」
（荷田神官家の由緒に記された伝説）

真言密教の祖「弘法大師空海」
（稲荷明神が守護した真言密教）

さてその荷田氏だが、荷田氏が秦氏よりも古く稲荷山に居住していた記録が、東寺の「稲荷大明神流記」に記されている。
「和銅年中より以来すでに百年に及び、稲荷山の麓に庵を結んで、昔から当山の麓には龍頭太という山の神が住んでいた。麓に庵を結び、昼は田を耕し、夜は薪を採ることを生業としている。その面は龍のようである。顔の上に光があって、夜を照らすと昼のように明るくなるので、人はこの者を龍頭太と呼ぶようになった。その姓を荷田（かだ）というのは稲を荷なっているためである。時代は下り、弘仁年間の頃より、弘法大師が稲荷山で難行苦行をしているとその翁がやって来てこう告げた。『吾は当山の神である。仏法を護持する誓願がある。そこで吾に真言の妙味を説いてほしい。なれば、当山を大師に譲り渡そうと思う』。これを聞いて大師は大変喜んで真言の法を説き、その面を写し、ご神体として東寺の竈殿（台所）に安置した」

このとき稲荷神と空海は縁が結ばれた訳だが、同時に稲荷神道と真言密教との関わりも生まれた。その後、荷田氏は弘法大師のスポンサーとなった。

この伝説では稲荷の神は龍の顔をした老翁として空海の前に現れている。この老翁が龍頭太であるが、これを秘教霊学に照らすと、稲荷山で修行中の空海が「山の神」に感応したことの象徴とする。実際、稲荷山はいくつもの滝がある行場であり、滝は水神を表し、龍のイメージにも繋がる。その伝説から田神、稲神としての性質も覗えるのだ。おそらく奈良時代にはすでに農耕神としての稲荷神のイメージは定着していたのではないか。

荷田氏の「龍頭太事」には神仙の一面も記されている。『龍頭太は亡くなる時、体は龍に変じ、大きな音と共に、天空高く飛び去って行った』とある。この「竜頭太」を信仰する荷田の人々は、昼は田畑を耕し、夜は竈（かまど）の火に祈りを捧げるといった暮らしをしていたと言う。

因みに、荷田氏はイナリ秘教団であったようだ。荷田氏の暗号は「日蛇（かだ）」である。

中国から帰国した空海は景教の儀礼を密教に取り入れ、空海独自の密教「真言宗」を開教した。空海の密教は錬金術的要素も含まれ、秘教的側面がかなりある。その空海がイナリ秘教団である荷田氏と強く結ばれたとしても不思議ではない。

荷田氏の稲荷奥伝『宇迦之御魂秘図』

宇迦之御魂の図

伏見稲荷の荷田家には「宇迦之御魂（ウカノミタマ）」なる図が伝えられている。この図は「伊奈利奥伝」の一部で、「イナリ開示」はそれを言霊で説くものだ。かつて伏見稲荷の社には二つの社家があった。その一つは、稲荷山の山ノ神の信仰に深く関わる荷田龍頭太（かだのりゅうとうだ）とその荷田の社家、一つは、伏見稲荷の創建に大きく関わる秦伊呂具（はたのいろぐ）とその秦の社家である。そしてこの度、言霊（コトタマ）で降りた白翁老のウタが、その荷田家に伝わる「宇迦之御魂」の図と、その秘儀の「伊奈利奥伝」の内容を解く鍵となった。

この神図は、稲を荷った稲荷の神、「荷田龍頭太」の姿である。その稲荷の神の下にはオオナムチ（大巳貴）と呼ばれる出雲のオオクニヌシ（大国主尊）、その横にはウガジン（宇賀神）と呼ばれるベンザイテン（弁財天）が描かれている。この図に示された内容が伏見稲荷を構成する全体像であり、その実体である。これを普通に見れば単なる稲荷の絵でしかないが、この図は稲荷の極秘伝だ。

オオナムチは「大巳貴」と記すが、この大巳は「大蛇の霊」のことだ。一方のウガは梵語で「白蛇」を表す。両者は共に「蛇神」を表すものである。そして、稲を荷う老翁は「穀霊」を表し、羽織っている「白」の狩衣（かりぎぬ）とその両肩に荷った「稲束」はどちらも「白羽（しらばね）」を暗示している。則ち、「穀霊」は「鳥」を表し「白鳥」をも暗示している。そこでこの図を見ると、「鳥神」が「蛇神」の上位にあるのが分かる。このことから、「蛇神」が先にこの稲荷山に入り、次に「鳥神」が来てこの領域を司ったことが示されている。つまり「蛇」と「鳥」

の両方の性質を合わせ持っているのが稲荷なのである。

この「蛇神」、実は龍蛇神を奉る太古日本の原出雲族「アラハバキ（荒脛）」を指すもので、「鳥神」は大和の葛城に本拠を移した「阿波忌部の秘教集団」のことである。この両者が共存する中、ある貴種が入り込み「荷田氏」となる。つまり、稲荷山には秦氏の由縁を記した「白鳥伝説」と荷田氏の由縁を記した「龍頭太伝説」の二系統があった。荷田氏の龍頭太伝説は一種の龍神伝承で、稲荷山の古層には「蛇神」の存在があり、秦氏の白鳥伝説はその後の層として「鳥神」の存在があるのを伝えたものだ。それがこの宇迦之御魂の図である。また、秦氏の白鳥伝説は穀霊伝説でもあるが、それは、穀霊伝説に置き換えたキリスト再臨の教示でもあった。

この二つの伝承は、稲荷山の古層において、始めに、水神もしくは原出雲族の奉じた蛇神があって、その蛇神を封じる形で鴨系秦氏の奉じる鳥神が入れ代ったが、やがて二つは融合する。この内容は、古代インド神話に登場する鳥神ガルーダと蛇神ナーガの関係によく似ている。ガルーダとナーガは始めは敵対関係にあったが、やがて両者は和解したとある話の内容と一致する。ところで、古代日本における原出雲族が奉じた龍蛇神の蛇を古代インド神話のナーガに譬えるならば、龍はキリスト教も含めた古代の西洋世界に登場するドラゴンと言えるだろう・・。

秦氏の秘教はあくまで原始キリスト教の伝来のものであって、稲荷山に伝わる伊奈利奥伝とは異なる。しかし、稲荷神道の中心教義は稲荷愛法であるから、秦氏がもし、稲荷の神をキリストと感得したならば、キリストの御力によって鳥神と蛇神は和解したと見ても、本質は同じなので差し支えはないだろう。

伊奈利奥伝は太古の密儀を伝えるもので、古代エジプトの秘教学がその源流となっている。それは秦氏の秘教（原始キリスト教）よりも先に伝来したものだが、それが東方に伝播していく中で、それを吸収したミトラ教やゾロアスター教がペルシャで発祥し、それらが混合されて稲荷の教義に入ったと言うのが実際のところである。それから後に、鴨系秦氏の参入があり、鴨系秦氏に伝承された古代のガルーダ信仰と一つになって行く。古代インドにおけるガルーダ信仰はヒンズー教に吸収されてもその耀きを失わずにあった・・。

ちなみに、稲荷大社の楼門を潜ると正面に舞殿が見え、その右手には東丸神社がある。この社は荷田家が輩出した国学者の荷田春満（かだのあずままろ）を祭っており、神社名の東丸はその春満を指し、東丸神社（あずままろじんじゃ）と読む。同じ敷地内にあっても、現在、荷田氏の東丸神社と伏見稲荷とは何の関わりもないと聞く。荷田氏の祖神を奉る社は稲荷山の二之峰と三之峰の間に荷田社としてあり、また、麓に近い山腹にも神寶神社として荷田龍頭太が奉られている。

ではここで、「フトマニノミタマ（布刀麻邇之御魂）」を紹介したい。本来のものは門外不出なので、次に紹介する御魂の図符は公表する上でかなりアレンジしている。しかしその本質としては同じなので説明上の問題はない。肝心なのは、この図符が変化しながら各章を通して登場するのでよく注意して見てほしい。このフトマニノミタマは「天地創成」と「生命造形」の玄理を示したもので、白翁老の曰く、これは「言霊」の玄理でもある。

フトマニ（布刀麻邇）が言霊でもあることは、サルタヒコノミコト（猿田彦命）が教えを説いたホツマツタエ（秀真伝）の古文にも記されてある。このフトマニの図符は澪標（ミヲツクシ）であり、この世の様々な物事を読み解く羅針盤となる。しかし、それを読み解くには多くの情報と偏見のない俯瞰の目が必要である。

白翁老の曰く、

『秘教はそれ、人の目に付く処に置かれてあるが故に見過ごすものにて、隠されたるものであるから秘教なのではない、人が真理を求めようとせぬ故に自ずと隠れた象となる。見ようとせぬから見えぬ、知ろうとせぬから知り得ぬことの道理。真理への道が秘教となるは、そういう仕組みなるを知りおれ。求むる答えは常に日々の中に有り。日々の暮らしの中に用意されてあるが故、よくよく目を見開き、求むるものに集中し、内なるところの閃きに頼るがよろしい。それ、イナリの奥義への参入、その始まりとなればなり』

白翁老は言う。「秘教と言うものは、案外人の目につくところにあるものだが、だからこそ気づかずに見過ごしてしまう。隠されているものであるから秘教となるのではない。人が真理を求めようとしないから自然と表に出ることもなく隠れた状態になる。人が見ようとしないから見えないし、知ろうとしないから理解することもできない。それは道理だ。真理の道が秘教になってしまうのはそういうような構造であることを知りなさい。自らが求める答えは日常の中に用意されてある。よくよく目を見開いて、求めるものに集中し、内なる直観に頼りなさい。それがイナリ秘教に参入する始まりとなるのだ」と・・。

第五章

イナリと深く関係する
日本神話の秘教的解明

日本神話の秘教的解明

伏見の稲荷山には五大神界があると聞いている。サルタヒコ神界、ウズメ神界、ウカノメ（トヨウケ）神界、スサノオ神界、八大龍王神界だと言う。しかしなぜ稲荷山の神界にスサノオがいるのかは定かではない。また、それらの神々は日本の神話の中にも見え隠れするが、その神話の中に、人類が霊的な進化を遂げる上で我々は何をなさねばならないか？　その答えが散りばめられている。ではこれから、その神話の一部を紹介し、比喩として説かれているその答えを解き明かしていこう。

まずは「国生み神話」。この話はイザナギ（伊佐奈木命）・イザナミ（伊佐奈実命）が天の御柱（アメノミハシラ）の周囲を廻ることに始まる国土の形成と神々の誕生の物語だ。その秘教的解釈は、「中心軸と回転の宇宙玄理」を示すととらえる。

そしてその神話には続きがある。それは丹後の宮津にある「天の橋立（アマノハシダテ）神話」として残っている。これは「天地（アワ）の道」を示すものだ。丹後には阿波（アワ）の秘密を解く鍵が隠されている。これらは「天の御柱立て（アメノミハシラダテ）」を示したもので、「霊の世界（あの世）と物質世界（この世）をつなぐ玄理」である。

次に「天の誓契（アメノウケヒ）」。これは「天の真名井（アメノマナイ）」を通じてスサノオ（須佐之男命）とアマテラス（天照大御神）が交わした契約密議であり、その秘教的解釈は「生命を還元する神聖力による魂の純化」を表したものだ。

そして「天の岩戸開き（アマノイワトビラキ）」。この神話はアメノウズメ（天宇受売命）の神楽舞（カグラマイ＝回転）を中心に展開される高天原の神々によるアマテラスの復活密儀で、その秘教的解釈は「高我の目覚め」である。

次に有名なスサノオによる出雲のオロチ（大蛇）退治。この秘教的解釈は「利己的低我（ていが）の克服」である。ところで、この神話には別称がある。「天の大蛇斬り（アメノハハキリ）」だ。蛇を古語でハハと呼んだが、蛇で母とくればイザナミを指す。ということは、斬り殺されたのはイザナミということになる。しかしイザナミを死に至らしめたのは火の神であるところのカグツチ（迦具槌命）であったはずだ。サンカ（山の民）の伝承では日本にタタラ（溶鉄技術）をもたらしたのはスサノオだとしている。そう言えば、スサノオが斬り殺したオロチ（大蛇）の尾から出てきたのは「剣」だった。剣は溶鉄技術によって産み出されるものだ。火の神と溶鉄技術をもたらした神。この両者には「火」の共通点がある。これを密教的解釈で言うなら、「煩悩を火で焼き尽くす不動明王の玄理」となる。そして不動明王の手にも「剣」が握られているではないか。また「蛇」は「執着や煩悩の象徴」としてしばしば登場する。

では、それぞれの神話について、浦島太郎の龍宮伝説も合わせて解読していきたいと思う。

一、神話「イザナギとイザナミ」、陰陽結びの秘密

イザナギ・イザナミの天地創成

《国生み神話の古訳》

天つ神諸の命以て伊邪那岐命・伊邪那美命の二柱の神に、「この漂へる國を修め理り固め成せ」と詔りて天の沼矛を賜ひて言依さし給ひき。故、二柱の神天の浮橋に立たして、その沼矛を指し下ろして畫き給へば、鹽（しお）こをろこをろに畫き鳴して引き上げ給ふ時、その矛の末より垂り落つる鹽、累なり積もりて島と成りき。是、淤能碁呂島（おのごろじま）なり。その島に天降りまして、天の御柱を見立

て八尋殿を見立て給ひき。ここに妹伊邪那美命、「汝が身は如何に成れる」と問ひ給へば、「吾が身は、成り成りて成り合はざる處一處あり」と答へ給ひき。ここに伊邪那岐命、「我が身は成り成りて成り餘れる處一處あり」と詔り曰く。故、この吾が身の成り餘れる處をもちて、汝が身の成り合はざる處に挿し塞ぎて國土を生み成さむと以爲（おも）ふ。生むこと奈何（いかに）」と詔り給へば、伊邪那美命、是を受け「然善（しかよ）けむ」と答へ給ひき。伊邪那岐命詔り給ひしく、「然らば吾と汝とこの天の御柱を行き廻り逢ひて、神戸（みと）の交ぐはひ爲む」と詔り給ひき。かく期りて則ち「汝は右より廻り逢へ、我は左より廻り逢はむ」と詔り給ひて、約（ちぎ）り竟（を）へて廻る時、先に伊邪那美命「あなにやし、えをとこを」と云ひ、後に、伊邪那岐命、「あなにやし、えをとめを」と云ひ、各云ひ竟へし後、その妹に告げ給ひしく「女人先に言へるは良からず」と告げ給ひき。然れども汲処に興して生める子は、水蛭子。この子は葦船に入れて流し去てき。次に淡島を生みき。これも亦、子の例には入れざりき。ここに二柱の神、議（はか）りて云ひけらく、「今吾が生める子良からず。尚、天つ神の御所に白（まを）すべし」と云ひて、すなはち共に參上りて、天つ神の命を請ひき。ここに天つ神の命以て、太占

（ふとまに）に卜相ひて、詔り給ひしく「女先に云へるに依りて良からず。また還り降りて改め云え」と詔り給ひき。故、ここに反り降りて、更にその天の御柱を先の如く往き廻りき。ここに伊邪那岐命「あなにやし、えをとめを」と先に云ひ、後に、妹伊邪那美命、「あなにやし、えをとこを」と云ひき。かく云ひ竟へて御合ひして国生みの功を成せり。

《国生み神話の概略》

別（こと）天つ神の曰く、「この星が誕生してより、沼の如くにありて、未だ凝り固まらぬ地の表を凝り固め、国生みを成せ」との詔（みことのり＝勅命）を受けたイザナギ（伊邪那岐命）・イザナミ（伊邪那美命）の二神は、別天つ神から授かった天ノ沼矛を地沼（ちぬ）に突き立て、掻き回して、凝り固めをしたことにより、大八洲（おおやしま＝太古の日本の国名）の国生みをした。ところが、二神が契りを交わした（結婚を約束して性交を行うこと）後に天の御柱を廻り巡る儀式を行う時、始めにイザナミの方から「何と美しい！　いい男！」と言葉を掛けてしまう。それが災いして、始めにヒルコ（水蛭子）、次にアワシマ（淡島）というこの世において生存不適合な子が生まれてしまった。そこで御柱巡りの儀式をやり直し、今度はイザナギの方から「何と美しい!いい女だ!」と言葉をかけたところ、すべての神々が誕生したという話である。ところがこの神々の出産の最終面で悲劇が起きた。火の神の「カグツチ(迦具槌尊)」を生んだことでホト(陰部:産道口)にひどい火傷(やけど)を負い、それが致命傷となってイザナミは亡くなってしまう。イザナギは嘆き悲しみ、恋しさが募り募ってとうとう黄泉国(ヨミノクニ:死者の国)を訪ねることになる。そこで見たものは、雷(イカヅチ:怨蛇体)の巻き付いたイザナミの白骨の屍(かばね)だった。自分の変わり果てた姿を見られ、恥ずかしめられたと思ったイザナミは憤慨し、従者の醜女(シコメ)たちに捕えよと命じる。イザナギは追手から逃れて、地上の入口に差しかかった時、遂に追っ手に捕まってしまいそうな寸前のところをオオカムヅミ(大神祇神)とククリヒメ(菊理姫神)に救助され、やっとのことで地上に帰還する。そこで、死霊の怒りの邪氣の穢れを祓うために、小戸の阿波岐原(アワギハラ)で禊をし、その時は独り身でアマテラス(天照大御神)・ツクヨミ(月読命=月夜見尊)・スサノオ(須佐之男命=素戔嗚尊)の貴き三柱の神を誕生させた。国生み神話はここまで。

イザナミが亡くなった本当の理由

さて、イザナミ（伊佐奈実神）が亡くなったのは、火の神のカグツチ（迦具槌尊）を生んだことでホト（陰部）に火傷（やけど）を負ったことが原因となっているが、実際は、ヒルコ（水蛭子）を海に流し、アワシマ（淡島）を子の数に入れなかったということが災いの原因であった。ヒルコ（水蛭子）を災いと捉え、水（＝海）をもって処分したことが新たな災いとなって、火をもって身に返ってきたのだ。しかもそれは、もう一人の子のアワシマをもって証明されることになる。日本の古語で「アワ」は女性の陰部を指す。つまり、ヒルコの始末は「アワ（ホト：陰部＝産道口）」で果たされたことになる。

また、その災禍（わざわい）となった火はさらなる災禍（わざわい）を生み出すことにもなりかねないので、早々に鎮火する必要があった。そこで、イザナギ（伊佐奈木神）は阿波岐原（アワギハラ）で禊（ミソギ）をし、火を祓ったのである。つまり、阿波岐原（アワギハラ）をイザナミの「アワ（ホト：陰部）」と見立てて、水によって火を鎮めたことになる。言わば、「形代（カタシロ）神事」である。

ところで、黄泉（ヨミ）の国から戻ったイザナギの耳元にククリヒメ（菊理姫）が囁いた言葉が何であったのか？そこがこれまで不明とされてきたが、それがこのことである。「火の障りを水の霊力で祓う呪法」を伝えたことにあった。

ヒルコ・アワシマを生んだ理由

しかもその原因を遡ると、国生みの始めに、天の御柱の周りを廻る時のこと。陰極にあるイザナミが陽極にあるイザナギよりも先に創造的作用（神話では言葉をかける優先順位で表現されている）を及ぼしたのが原因であったようだ。ということは、当初、イザナギが右回りで廻ろうと指示したことに対して、イザナミが先に創造的行為をやったので、おそらく二神は天の御柱の回りを逆回転で廻ったのではないかと考えられる。この二つが「宇宙の創造行為」に反することになった。秘教では、物質創造においては右回転であるとしている。左回転は物質化とは逆で、形をなさない。このことがヒルコ（水蛭子）・アワシマ（淡島）を生んだ原因かも知れない。

宇宙創生の玄理と生命誕生の秘密

創生の原理に照らすと、イザナギは「生命の火」であり、イザナミは「生命の水」の役割にある。地の底から吹き出る「生命の火」と天から降り注ぐ「生命の水」の結合によって大地が生まれ、大地に充ち満ちた「生命の水」に天からもたらされる「生命の火」が結合して生命は誕生する。宇宙空間の創造においては、常に「火」が「水」に優先される法則性にある。ところが、イザナミがその法則に沿わなかったので、最終的結果として火によって産道口（ホト・アワ：陰部）を焼かれ、亡くなってしまう。それが真の死因である。イザナギが後に、自らの身を海に沈め、海の水で禊祓い（ミソギハライ）をしたのは、自らの魂まで侵したイザナミの「火」を、海の「水」をもって鎮めることにあった。この禊（ミソギ）の清めによってイザナミ（伊佐奈岐神）の魂は救済され、イザナギはイザナギと一体となり、水火・陰陽は統合される。つまり雌雄一体となり、これによってイザナギは、単独で三貴神を誕生させせることになる。

天地創生の原理と舞の玄理

イザナギが矛をもって、沼状の海をコロコロ（転々）と掻き回して凝り固めるというその「天ノ沼矛（ぬぼこ）」による物質形成の構造と、二神が「天の御柱（みはしら）」を中心に回転し、陰陽の結びを交して生命を創造する構造とは同じ一つの玄理にある。そしてまた、その「天ノ沼矛（ぬぼこ）」及び「天の御柱（みはしら）」の陽物と、イザナミに会うために黄泉国に行き、その地でイザナギが目にした「トグロ（螺旋状）」を巻いた雷（イカヅチ）の蛇体で表される陰物の関係は、そのままがサルタヒコ（猿田彦命）の「矛」とアメノウズメ（天宇受売命）の「渦」の構造と同じであることが分かる。

と言うのも、矛は「宇宙軸」、蛇体は「宇宙の回転運動と螺旋運動」、それは宇宙創造においての「中心軸と回転の構造」を変えて表現したものだ。さらにこれらの構造は、クナトノカミ（久那斗乃神）の「杖」とククリヒメ（菊理媛神）の「括り」の関係でもあり、生命を活性化させ、大地を豊饒にするという太古の創造玄理にまで遡ることができる。これはイナリ秘教の密儀として稲荷古伝に伝えられてきた「フトマニ」の説く本質とその玄理であり、また、天地創生の玄理に基づく「生命誕生の秘儀」、「生命の復活・再生の秘儀」でもある。

ところで、その「天の御柱（みはしら）の玄理」を別の神話で語り継がれたのが丹後宮津（京都府）に残されている。それは「天の橋立（アマノハシダテ）神話」と言い、「天の橋立」は「天の御柱立て（アメノミハシラダテ）」と同じで、それは、この章の冒頭で、その「天の御柱（みはしら）の玄理」として述べたが、これは「霊の世界（あの世）と物質世界（この世）をつなぐ玄理」でもある。この「天の橋立て」の意味は「天と地を結ぶ道」「天地（アワ）の道」を示したものである。「天地（アワ）の道」を「天地道（アワジ＝淡路）」と言う。ちなみに、イザナギの原郷はアワキ（天地岐＝阿波岐）であった。今の徳島、かつての阿波国（アワノクニ）である。その海辺に禊をしたところがある。

イザナギの本拠は神山であったが、イザナミと別れた後はアワヂ（淡路島）で晩年を過ごした。二神にはアワナギ（阿波奈岐命）という御子がいて、後にアワノクニ（阿波国）を継承する。後世の政権において、その御子の存在が公にされると都合が悪いので隠蔽した。子の数には入れなかった淡島（アワシマ）という御子はこのアワナギのことである。淡路島の伊佐奈岐神社のある地域はイザナギの居られたところで、その後を継承したアワナギもその地域を本拠としていた。その後、イザナギが没した住い跡に伊佐奈岐社（神宮と正す必要がある）が建てられ、アワナギもそこで亡くなったので共にその社に祀られるようになった。しかし、前述したように、後の政権の意向でアワナギは祭神から除かれたのである。

アワヂは天地道（淡路）で、天と地をつなぐ道のことであり、さらには本州からアワノクニ（阿波国）に通じる道でもあった。またさらに、イザナギとイザナミの子であるアワシマ（淡島）ことアワジ（淡児）、つまりアワナギ（阿波奈岐命）のことでもあった。

なお、イザナミの原郷はアワミ（天地水＝淡海：近江、今の琵琶湖）にあった。琵琶湖の湖東に鎮座する多賀神社はイザナミの本拠である。話は逸れるが、徳島県の剣山中腹にある美馬郡つるぎ町に一宇（いちう：屋根を同じくする意味から世界が一つになるかと言う意味）という村落があり、そこに鎮座する天岩戸神社の奥に黄金神殿があるという話を某古老から耳にしたことがある。

丹後はお伽話や日本神話の宝庫

前述したように、丹後（京都府北部）には阿波（アワ＝四国の徳島の古名）の秘密を解く鍵がいろいろと隠されているが、それだけではなく、日本神話の多くの源流がこの地にはある。

丹後は日本の神話やおとぎ話の宝庫である。しかしそこには稲荷に深く関わる話がいくつかあって、しかもそこには、人間の霊性の進化において欠かせない重要な内容が込められている。その内容とは何だろう？　探求する価値はある・・・。

私が丹後と深い縁を持つようになったのは、今から二十年ほど前、丹後半島の付け根にある皇大神社（京都府福知山大江町内宮）に参拝した時のこと、その拝殿で大祓詞を奏上した直後に「ハッセーハヤセー」の言葉が三回続けて降りた。それが言霊であることはすぐに分かったが、しかしそれが何を意味するのか、その時は不明だったが、後日のこと、美内すずえさんが訪ねて来られることになり、その時に、美内すずえさんの書かれたアマテラスの本と出会うことになる。その本を手に取り何気なく開いたページが、小夫の天神社（斎宮）の場面だった。後で調べてみると、そこは大和（奈良）の初瀬川（はっせがわ）の源流にあたるところで、初瀬（はっせ）はハッセとも発音するということが分かった。その流れから天の香具山で月を言祝ぎ、夜明けを迎える祭礼を行うことになったのだが、その朝の神事で再び言霊が放たれた！　それは「天の香具山の元なるは月天界にありて、吾は白羽を着けて月の国に帰らん」というものだった。そこで天の香具山のことを調べると、天の羽衣と深い関係があり、しかも月の国とは、その羽衣の持ち主である羽衣天女の故郷にあたる丹後であることが分かった。それだけではない。丹後には、羽衣天女が天界から降りて水浴びをした天の真名井（アメノマナイ：京丹後市峰山町磯砂山御池）という聖井まであったことを知り、私は小躍りした。そこで、その聖井の前で羽衣天女を

天の真名井「天女の祝祭」
羽衣の舞

言祝ぐ神楽祭礼を執り行うことになったのである。天の香具山の縁で丹後の天の真名井（現在は御池と呼ばれている）と出会い、そこは太礼神楽の聖地ともなり、そのような流れがあって、丹後との縁がますます深くなっていった。

丹後（古くは丹庭、さらに古くは田庭、今の丹後・丹波・但馬・舞鶴の広大な領域を統治した海洋国の中心地）は面白い。おとぎ話や神話伝説のおよそ五〇％が集中しており、そして、イナリの原郷とも言えるところだ。この地には「不老不死・不老長寿思想（永遠の生命性の考え方）」が根づいている。おそらく古代に中国の神仙思想を持ち込んだ人々がいたのは間違いないだろう。その不老不死・不老長寿思想が、丹後のおとぎ話や神話、伝説などに反映されているのは確かだと思う。では、どんな人々が持ち込んだのだろうか？　丹後を本拠地とした豪族は海部氏だが、背後には秦氏の影が見え隠れする。丹後の不老不死・不老長寿思想の底流には秦国から丹後に渡来した方士（もう一方の秦氏。方士〈徐福〉の後裔は秦姓を名乗った）の「神仙思想の不老長生観」の方が先に入り、景教徒（原始キリスト教信徒）である秦氏の秘教「死と再生の思想」は後から持ち込まれたのではないか？

ところで、この日本にも太古より、中国の「不老不死・不老長寿思想」とよく似た思想があった。「常世（とこよ）」である。常世は「常世国（とこよのくに）」とも呼ばれ、その国は「常若（とこわか）」という永遠に老いることのない命の息づく理想郷だった。そもそも常世国（とこよのくに）が生まれたのは、天界より地上に降り立ったクニトコタチ（国常立尊）が治めたところからのものであり、その国は地球原初の生命世界であった。

秦氏は前述したように「死と再生の思想」を持つ一族で、丹後に根づいていた神仙思想の「不老不死・不老長寿の世界観」や、東の果てのこの国にもともと存在した常世国（とこよのくに）の思想に、景教徒（原始キリスト教の信徒）だった秦氏は、聖書に記されたエデンの園に対する思いを重ね合わせたのではないだろうか？　それらの思想が相俟って、秦氏の秘教はそれまでの世界観とは趣きが異なり、独創的な宇宙観を創り出した。猿楽（さるがく）の創始者である秦河勝も、秦河勝を初世とする金春善竹（こんぱるぜんちく）も、その革命的な思想を能の世界に表現している。このような流れの中にあって、イナリ秘教にも秦氏のその独特な宇宙観が影響している。

二、お伽話「羽衣天女」、その古代の秘儀、天の誓契（ウケヒ）

羽衣天女の絵図

《羽衣伝説の原文：丹後風土記》

比治の真奈井および奈具の社（丹後の国の風土記に曰ふ）の条。

丹後の国。丹波の郡。郡家の西北の隅の方に比治の里あり。この里の比治の山の頂に井あり。

その名を麻奈井と云ふ。今は既に沼と成れり。この井に天つ女八人降り来て浴水む。時に老夫婦あり。その名を和奈佐老夫・和奈佐老婦と曰ふ。この老らこの井に至り、窃かに天つ女一人の衣と裳を取蔵しつ。即ち衣と裳あるは皆天に飛び上がり、ただ衣も裳もなき女娘一人留まりぬ。

身を水に隠して独懐愧ぢ居り。ここに老夫、天つ女に謂りて曰はく「吾に児なし、請はくは天つ女娘、汝、児とならむや」と云ふ。天つ女、答へて曰はく「妾独人間に留まりぬ。何か従はずあらむ。請はくは衣と裳を許したまへ」と云ふ。老夫、曰はく「天つ女娘、何にそ欺く心を存てる」と云ふ。天つ女、曰はく「それ、天つ人の志は信を以ちてもととせり。何そ疑ひの心多くして衣と裳を許さざる」と云ふ。老夫、答へて曰はく「疑多く信なきは率土の常なり。故、この心を以ちて許さずあり」と云ひ遂に許せり。即ち、相副ひて宅に往き、即ち相住むこと十余歳になりき。

ここに天つ女、善く酒を醸せり。一坏飲めば吉く万の病除かる。その一坏の直の財、車に積みて送れり。時にその家豊かにして土形も富みき。故、土形の里と云ふ。これ中間より今時に至るまで便ち比治の里と云へり。

後に老夫婦ら、天つ女に謂りて曰はく「汝は吾が児に非ず、暫く借りて住めり。

宜早く出で去きね」と云ふ。ここに天つ女、天を仰ぎて哭慟き、地に俯して哀吟き、即ち老夫らに謂りて曰はく「妾は私意を以ちて来れるには非らじ。こは老夫らが願へるなり。何にそ厭悪の心を発し忽に出去之痛あらむ」と云ふ。老夫、増発瞋りて去くことを願ふ。天つ女涙を流し微門の外に退きぬ。郷人に謂りて曰はく「久しく人間に沈みしに天にえ還らず。また親もなき故、由る所知らず。吾や何哉、何哉」と云ふ。涙を拭ひて嗟歎き、天を仰ぎて歌ひて曰ふ、「天の原振り放け見れば霞立ち家路惑ひて行方知らずも」と。遂に退り去きて荒塩の村に至りぬ。即ち村人らに謂りて云はく、「老夫老婦の意を思ふに、我が心は荒塩に異なることなし」と云ふ。仍ち比治の里なる荒塩の村と云ふ。また丹波の里なる哭木の村に至り、槻の木に拠りて哭きき。故、哭木の村と云ふ。また、竹野の郡船木の里なる奈具の村に至りぬ。即ち、村人らに謂りて云はく「此処に我が心なぐしく成りぬ。古事に平けく善きことを奈具志と曰ふ」と云ふ。乃ちこの村に留まりつ。こは謂ゆる竹野の郡の奈具の社に坐す豊宇加能売の命そ。

《羽衣伝説の概略》

比治（ひじ）山（現在の峰山町にある磯砂山：いさなごさん）の頂に井（池）がある。その井（池）に八人の天女が舞い降りた。そこに和奈佐（わなさ）という名の老夫婦が現れ、密かに一人の天女の衣（羽衣）と裳（下衣）を取り隠すと、天女たちは天に飛び上がってしまったが、衣（羽衣）を隠された天女だけ人間界にとり残され、老夫婦の言うままに娘となって十年を暮らす。天女は酒造りが上手く、一杯飲めば万病に効く酒を造り機織りも教え、家はたちまち裕福になる。しかし、老夫婦はどう言う訳か「おまえはやはり我が子ではない」と天女を追放する。天女は嘆き、比治の里を彷徨った末、船木（現、京丹後市弥栄町船木）の里に至り、「わが心なぐしく（慰め）なりぬ」とここに安住の居を構えたと言う。これに因みこの地を奈具と呼ぶようになった。後に、天女は村人らによって豊宇賀能売命（トヨウカノメノミコト）として奈具神社（ナグノヤシロ：現在の奈具神社）に祀られた。豊宇賀能売命とは、伊勢の神宮の外宮に祀られる五穀豊饒の農耕神、豊受大神（トヨウケノオオカミ）のことである。

伏見稲荷の「三柱神」の一神、ウカノミタマ（宇迦之御魂神）には別の名がある。トヨウケヒメ（豊宇気比売神）である。この女神がモデルとなったお伽話が前述の「羽衣天女伝説」である。羽衣と言えば天女。この天女の能力はあらゆる面に長けていて、養蚕、機織り、米作り、酒造りなどの生産技術を有していたが、ここで問題なのがこの四つの生産技術である。この四つの技術は秦氏によってわが国に持ち込まれたものでもある。そのことから羽衣天女と秦氏との関係が見えてくる。羽衣天女は白鳥の化身とされており、いつの頃からか羽衣天女と言えば白鳥と言われてきた。その関係を証明するものに伏見稲荷の白鳥伝説がある。そしてこの白鳥伝説は秦氏の家伝とされているのである。天女の羽衣は白鳥の白羽であり、秘教による解釈では「白鳥は高次の魂の象徴」とされる。

トヨウケヒメ（豊宇気比売神）は一名をトヨウカメ（豊宇賀女）と言い、この女神は「稲荷の三柱神の章」でも《解説》でもすでに説明したが、伊勢の外宮に祭られる神である。そこでこの女神トヨウカメ（豊宇賀女）が羽衣天女の正体と言う訳であるが、この羽衣天女は、天上界から降りてきて天の真名井で沐浴した八人の天女の一人とされており、和奈佐翁（ワナサオキナ：山に住む翁）に羽衣を隠されたことで天に帰れず、翁の老夫婦の養女となって、翁の家を繁栄させる話なのだが、後に天女は翁に裏切られ家を追い出される悲劇に変わり、最終的には安住の地を見つけ、その地で終焉を迎える話で終わる。この神話の要点は「天の真名井（アメノマナイ）」にある。アマテラス（天照大御神）とスサノオ（須佐之男命）が互いにウケヒ（誓契）をしたあの「天の真名井（アメノマナイ）」だ。天の真名井（アメノマナイ）が示すのは「ウケヒ（誓契）の秘儀」を伝えるもので、「誓いは守るもので、決して破ってはならない」ということの象徴でもある。

トヨウケヒメ（豊宇気比売神）とは、磯砂山（いさなごやま＝古では白雲山とも呼ばれた：現・京丹後市峰山町）の「御池（オイケ：天の真名井の聖名を隠すためにそう呼ばれた）」を本拠として活躍した神でもある。そしてそのトヨウケヒメ（豊宇気比売神）を表す羽衣天女を象徴する言葉は「潔白・嘘のない純粋性」である。秘教的解釈ではそうなる。高天原にある天の安河の流れる地の「天の真名井（アメノマナイ）」でスサノオ（須佐之男神）とアマテラス（天照皇大御神）が互いに誓契（ウケヒ）を交し、二神は互いの神器をその聖なる真清水に浸して、正しく男女の産み分けをした神事とも通じるものである。その真清水の聖水によってスサノオ（須佐之男神）はアマテラス（天照皇大御神）に互いの身の潔白が証明された。その真清水の化身で、天の真名井を守護する神がトヨウケヒメ（豊宇気比売神）という訳だ。このように天の真名井（アメノマナイ）の秘儀は聖水による潔白の証明であり、さらにこれを秘教に照らして解釈すると「生命を還元する神聖力による魂の純化」となる。まさにこの「生命を還元する神聖力」、つまり「蘇生力」こそが「生命の水」の秘密の部分だったのだ。では、誓いを破るとどうなるのか？　その問いに対する答えはこうだ。天の真名井（アメノマナイ）が「真澄（マスミ）の鏡」と呼ばれる理由である。それは「鏡の玄理」「違えた行為は必ず自らの元に返ってくる」という摂理である。

そして「天の真名井（アメノマナイ）のウケヒ（誓契）の秘儀」にはもう一つの意味がある。それは、羽衣天女のその清らかな心を映し出す、透き通った天の真名井（アメノマナイ）の真清水のようにすべてを元糾す浄化力。その秘教的解釈は、「生命を還元する神聖なる力をもっての魂の純化」である。

この女神の神話を読み解くと、そこに「真実を写し出す鏡」という意味を表す

「天の真名井の玄理」が示されてある。これはイナリの秘儀でもある。そこで伊勢の神宮においては、内宮は日神のアマテラス（天照皇大御神）、これに対して外宮は月神トヨウケヒメ（豊受皇大御神）を祭っている。月は太陽の光を反射して自らの光とするが、天の真名井も、実は、アマテラス（天照皇大御神）を映し込む神器である。皇位継承者である皇太子がアラヒトガミ（現人神）となって天皇の御位に就く上で行じなければならないのがこの鏡による日拝（にっぱい）の行法である。「神鏡御拝（みかがみぎょはい）」とも「自霊拝（じれいはい）」とも言うが、鏡に映った自らの姿に神の姿を重ね合わせ、その姿を凝視することで自らが神そのものとなるアラヒトガミ（現人神）の行法のことだ。しかし一般の私たちも日常の暮らしの中でこれと似た行法を行じることができる。それと言うのも、この世界は「鏡の玄理」で成り立っており、「人は鏡」とよく言われるように、「人は自らの心の鏡の役割」を担っている。これを「相応の理」とも言うが、人と接し、その反応を見て、自らの心を省みて、思いを変え、言葉に注意し、常に行動を正しながら、自らの魂を高めて行く。そのような行法が私たちにもできるのだ。自霊拝（じれいはい）とは、それと同じことを鏡に写った自分の姿を通して行うことにある。神はどう思い、どう信念し、どのような言葉を使い、どのように声を発し、どんな道を選択し、どのように行動するか？という風に。それを行う前に、真清水で心身を清め、神聖なる天の真名井（あめのまない）の前に立つような清（すが）しき思いで鏡の前に立ち、霊性の向上を願い、祈り、不退転の強い意志を以て神に誓うのである。

三、お伽話「浦島太郎」、乙姫に秘められた龍宮の暗号

浦島児（うらしまご：浦島太郎の正式な呼称）が亀の案内で、その背中に乗って海に出ることになったその海を大海原（おおうなばら）と言うが、それが意味するのは「大いなる産腹（うみばら）」であり、またそれは「万命万物を生み出す聖域」と考える必要がある。そして着いたところは海中の龍宮だった・・。

龍宮

龍宮は、永遠の時が流れ、老いることのない不死の世界だと伝えられている。そのことからそれは「永遠なる生命を宿す子宮」、「時空を超越した霊的次元」のことであり、しかも、海原の底は「産みの腹の底」の比喩だと解釈できる。

龍宮の主（あるじ）である龍王は、「宇宙を自在に操る創造的波動性」であり、「生命エネルギーを自在に制御し、その上に君臨する王者」と言える。

乙姫（龍女）は、「夢見」に誘う産みの精であり、「人の記憶の向こうにある聖、あるいは性に誘う幻惑の果実あるいはネクター（果汁）」である。そして大亀は、「未知なる世界・異次元の領域・不死の理想郷への案内者と同時に乗り物」である。またもしくは「男性原理（陽）と女性原理（陰）の統合」を指す。

浦島は、浦は裏、島は領域を表すから、「現界の裏に隠れた生命の真実の領域」を指し、浦嶋子（浦島太郎）は、「未知の領域への好奇心、そこへ参入する勇気」あるいは「夢見の者」を表す。その各要素が一つになることによって生命の完成を迎え、「不老不死の神秘の世界への参入」が許される。現実の裏を言霊と夢見を以て綯う、「裏綯う（うらなう＝占うの原意）」というイナリの秘儀（太摩邇：フトマニ）をこの物語は示唆している。

四、お伽話「かぐや姫伝説」、竹取物語に隠された暗号

かぐや姫

丹後一ノ宮・元伊勢「籠神社（このじんじゃ）」は、竹取物語のかぐや姫とも深く関係している。この神社は、古くは「籠宮（このみや）」と呼ばれたが、籠宮の籠（かご）は香具（かぐ）でもあり、「籠宮は竹に封じ込められた龍宮（りゅうぐう）」でもある。つまり、「籠宮」から「竹」を取り祓うと「龍宮」が現れるといった仕組みなのだ。また、龍宮が姿を現せば当然そこで龍も解放されることになる。

籠宮は籠（かご）の宮、籠（かご）は籠（こも）るとも読み、籠（こも）るは隠れて見えなくなることを意味するから、そこには「カゴメ（籠目）歌」の秘密を解く鍵が隠れていそうだ。そして、「竹は隠した者の正体を暗示する」ものだ。では、誰が龍を隠したのだろう？　また、龍を隠した者を指す「竹」とは何を意味しているのか？　そして「竹」は「月の女神」を隠した者となる・・「竹」とは誰か？　そこでカゴメ歌の謎解きになる。カゴメ歌の謎の究極は、「後ろの正面は誰？」と言うところである。この「後ろの正面にいる者」が「竹」に関わる者の正体である。

さて、猿楽（申楽）や能楽には「後戸乃神（うしろどのかみ）」という謎の神が登場するが、その後戸乃神（うしろどのかみ）とはどういう神なのだろう？　その答えが実は、京都の太秦にあるのだ。太秦には奇祭で有名な広隆寺があり、その寺は秦河勝（はたかわかつ）の屋敷跡に建てられたと記録にあるが、問題はその奇祭の主人公である。その主人公の名は「摩多羅神（マタラシン）」と言うが、その素性はあまりよく分かっていない。この神こそが後戸乃神（うしろどのかみ）の正体で、この摩多羅神（マタラシン）こそが「竹」に関わる者の正体なのである。さらに、その神には別の名がある。「太陽神ミトラ」だ。またの名は「ミロク」。

もうお分かりだと思うが、後ろの正面にいる存在は「ミロク」だったのである。後ろの正面とは、後ろにいる者こそが正しい真実の存在だと言っているのだ。ミロクは太陽神ミトラのことだから、月の女神、つまり「月神」を隠したのは「太陽神」だったことになる。だからこそ龍で象徴される「水」の上に冠する竹の正体も「日」となる訳だ。よって、「竹を取ると龍が現れる」というのは、「龍を解放する鍵を握るのは太陽神である」ことの暗示だと分かる。このことから紐解けるのは、カゴメ歌は「人間の霊魂は本来の霊的な光の世界に戻って行く」ことを歌って説き聞かせたものだったということである。

五、神話「天の岩戸開き」、天の岩戸を開く玄理

日本神話に登場する「天の岩戸開き」は、アマテラス（天照大御神）が閉じ籠った天の岩屋の中から再び現れるという太陽の復活神話で、その情景は荘厳である。

ではその概略を見てみよう。

《天岩戸開き神話・概略》

高天原にある天の真名井（アメノマナイ）の前でのウケヒ（誓契）で自らの心の清さを証明したスサノオ（須佐之男命）は、勝ち誇って、アマテラスの田の畔を壊し、溝を埋め、糞を撒き散らすといった乱暴をしたが、アマテラスはその行為を良い方に解釈していた。

しかしスサノオの悪事は止まらず、アマテラスが機屋（はたや）で神に捧げる織物をしている時、その屋根に穴を開け、生皮を剥いだ天斑駒（アメノフチコマ＝マダラ模様の馬）を落とし入れたので、驚いた一人の天服織女（ハタオリメ）が、織りを紡ぐ梭（ヒ）が陰部に刺さり死んでしまった（日本書紀ではアマテラス自身が傷ついて憤慨したと記し

ている）。そこでアマテラスは天の岩戸に引き籠ってしまった。このことで高天原も葦原の中つ国も真っ暗となり、さまざまな禍事（まがこと：災い）が発生することになる。

その対策として、天の安河の川原に八百万（ヤオヨロズ：数え切れぬほどの数）の神々が集まり協議した。まずオモイカネ（思兼神・思金神）に発案してもらい、常世（トコヨ）の長鳴鳥（ナガナキドリ＝尾長鶏）を集めて鳴かせた。天金山（アメノカナヤマ）の鉄を取り寄せ鍛冶師のアマツマラ（天津麻羅）を探し出し、イシコリドメ（伊斯許理度売）に八咫鏡（ヤタノカガミ）を作らせ、タマノオヤ（玉祖命）に八尺の勾玉（マガタマ）の五百箇（イオツ）の御澄る（ミスマル）の珠（八尺瓊の勾玉：ヤサカニノマガタマ）を作らせ、アメノコヤネ（天児屋根命）とフトダマ（太玉命）を召集して、マオシカ（牡鹿：オジカ）の肩の骨（肩甲骨）とハハカ（波々迦）の木で太占（フトマニ＝占い）をさせ、フトダマは、サカキ（賢木＝榊）を根ごと掘り起こし、枝に八尺瓊勾玉（ヤサカニノマガタマ）と八咫鏡（ヤタノカガミ）と布帛（ふはく）を掛け、御幣として奉げ持っち、アメノコヤネ（天児屋根命）は祝詞（ノリト）を唱え、アメノタヂカラオ（天手力雄命）が岩戸の脇に隠れて立ち、アメノウズメ（天宇受賣命）が岩戸の前に桶を地に伏せて踏み鳴らし、神憑りして胸を出して裳の紐を陰部まで垂れ下げて踊った。そうすると高天原が鳴動するかのように八百万の神が皆共に笑った。

岩戸の外側が賑やかなので、アマテラスは、外で一体何が起きているのか訝（いぶか）しみ、岩戸の扉を少し開けて、「私が岩戸に籠っているため世の中は暗闇になっていると思っていたのに、なぜアメノウズメは楽しく舞い、八百万の神々は笑っているのか」と言った。

するとアメノウズメが「アマテラス様にまさって貴い神がいらっしゃるので、喜び笑いあっているのです」と言い、アメノコヤネとフトダマがアマテラス（天照大御神）に八咫鏡を差し出して見せた。不審に思ったアマテラスが少し岩戸から出て鏡をよく見ようとしたところを、脇に隠れていたアメノタヂカラオがその手を取って岩戸の外へ引きずり出した。すぐさまフトダマが岩戸に注連縄（シメナワ）を張り、「ここから中にはどうかお入りにならないでください」と言った。そしてアマテラスが岩戸の外に出ると、高天原にも葦原の中つ国にも光が戻ってきた。

その後、八百万の神々は協議して、スサノオに、千位置戸（ちくらおきど）を負わせるという罰を与え、その髭と手足の爪を切り、高天原から追放したのである。

霊性の目覚め

アマテラス（天照大御神：太陽神）の天の岩戸隠れによって世界が暗闇になる話は、「冬至（弱まった太陽が力を取り戻す時節）」を表すという説や「日食」という説、「火山噴火による日照障害（火山灰や粉塵によって太陽の光が届かなくなる現象）」という説などがあるが、秘教によればそのような解釈にはならない。

そもそもアマテラス（天照大御神）が天の岩屋の中に身を隠すことになったのは、スサノオ（須佐之男神）の乱暴狼藉が原因であった。アマテラス（天照大御神）が天の岩屋の中に閉じ籠ったので天上界が暗闇になってしまい、神々は困り果てた。

そこで、その審議に高天原の神々を召集し、神議（カムハカリ／長老会議）にかけ、卜占（ぼくせん／天易）を行った。すると瑞祥（ずいしょう：吉の啓示）を示す結果が出たので、神々は直ちにアメノウズメ（天宇受売神）に神楽舞を所望した。そこでアメノウズメ（天宇受売神）は真榊（まさかき）を手に持ち神楽舞を舞った。それを見た神々の歓びの響めきが高天原中に轟いたので、その声を耳にして不思議に思ったアマテラス（天照大御神）は外の様子を見ようと岩戸を少し開いた。そこを見逃さなかったアメノタヂカラオ（天手力男神）は、岩戸に両手をかけ、力ずくでこじ開け、アマテラス（天照大御神）を岩屋の中から引っ張り出すことに成功した。

神々のその働きで高天原は再び明るくなったという「太陽復活神話」である。

天の岩戸開きが象徴するものは「魂の目覚め」である

この神話は、イエスキリストが磔刑の後にその屍が岩屋に納められ、その後、岩屋からキリストが復活した話と酷似する。おそらくルーツは同じである。

ところがこの話にはもっと深い意味が隠されている。秘教ではこの話を単なる「太陽復活神話」とは解釈しない。この話を人間の霊性の向上における内的な作業と捉える。つまり「魂の目覚め（意識の霊的覚醒）」と解釈するのだ。さらにそこで執り行われる数々の神事は、「魂の目覚め（意識の霊的覚醒）に必要となる心身の操作技術」を象徴的に表したものであることを解き明かす。

天の岩戸開きの玄理＝キリスト復活の玄理

六、神話「八俣大蛇退治」、オロチに秘められた暗号

ヤマタノオロチ（日本書紀では八岐大蛇、古事記では八俣遠呂智と表記している）退治の神話は、日本書紀ではこのように語られている。

天岩戸の一件の後、高天原を追放されたスサノオ（素戔嗚尊）は、出雲の国に降り、簸（ひ）の川上に到る。すると、川上で泣き声が聞こえるので声の方へ訪ねて行くと、老夫婦が泣いているのに出会った。二人の間には少女が坐っていて、二人は少女を撫でては、おいおいと泣いているのである。

訳を聞けば、老夫はこう答えた。「私は国つ神で、名は脚摩乳（あしなづち）と申します。妻の名は手摩乳（てなづち）といい、この少女は私どもの娘で奇稲田姫（くしいなだひめ）です。私どもがこうして泣いておりますのは、実は、かつて私どもには八人の娘がおりましたのが、毎年一人ずつヤマタノオロチに食われてしまったのです。そして今またこの娘が食われようとしています。このことから逃れることもできません。それがあまりにも哀しく、こうして泣いているのです」

それを聞いたスサノオ（素戔嗚尊）が「そういうことであれば、この私にその娘を

預ける気はないか？」と勅（みことのり）して言うと、脚摩乳（あしなづち）は「仰せのままに、この娘を差し上げます」と応えた。

スサノオ（素戔嗚尊）は奇稲田姫をあっという間に湯津爪櫛（ゆつつまぐし）に変えて御髻（みづら）に挿して隠した。そして脚摩乳、手摩乳に、八回醸した酒を作らせ、屋敷の周囲に八つの部屋を作り、そこに一つずつ酒の大きな桶を置いて酒をなみなみと注いで、ヤマタノオロチの出現を待つことにした。

夜になり、果たしてヤマタノオロチはやって来た。その頭と尾は八つあり、眼は赤酸醤（あかかがち：ホオズキの古名）のようであり、背の八つの丘と八つの谷の間に松や柏が生い茂っている。酒に気付くと、屋敷の周囲の八つの部屋に置いた桶に一つずつの頭を突っ込んで酒を飲み、酔って寝入ってしまった。

それを待っていたスサノオ（素戔嗚尊）は、すぐさま十握剣（とつかのつるぎ）を抜き、ヤマタノオロチをずたずたに斬ってしまった。

尾を斬る時に剣の刃が少し欠けたので、その尾を裂いて見てみると、中から一振りの剣が出てきた。これがいわゆる「草薙剣（くさなぎのつるぎ）」である。ちなみに一書（あるふみ）では「本来の名は天叢雲剣（あめのむらくものつるぎ）。剣が出てきたヤマタノオロチの居る上には常に雲があったので、このように名付けられたのかもしれない。日本武尊（ヤマトタケルノミコト）の時代に至って、名を改めて草薙剣と言う」とある。この剣をスサノオ（素戔嗚尊）は天つ神に献上した。

他の一書（あるふみ）では、ヤマタノオロチの尾から出てきた剣について「これを草薙剣と名付けた。これは今、尾張国吾湯市村（あゆちのむら）にある。つまり熱田の祝部（はふりべ）が祀る神がこれである。ヤマタノオロチを斬った剣は、名付けて蛇之麁正（おろちのあらまさ）と言う。これは今、石上（いそのかみ）にある」とある。

八俣大蛇退治

龍（ドラゴン）を制する大天使ミカエル

さて、これらの書に記された老夫婦の名は、日本書紀に、脚摩乳（あしなづち）・手摩乳（てなづち）、その第八段の一書（第二）では、脚摩手摩（あしなづてなづ）、稲田宮主簀狭之八箇耳（いなだのみやぬしすさのやつみみ）と記されている。

稲田宮主須賀之八耳神は、古事記では足名椎（あしなづち）に与えられた名だが、書紀の本文では、「号（な）を二の神（あいなづち・てなづち二神のこと）に賜ひて、稲田宮主神と曰ふ」とあり、二神に「稲田宮主」の号（な）を与えている。またその一書（一）には、初めから「稲田宮主簀狭之八箇耳（いなだのみやぬしすさのやつみみ）の号（な）、稲田媛（いなだひめ）」とあり、奇稲田姫の母親の手摩乳（てなづち）を稲田宮主としており、娘と同じ稲田媛の号（な）を与えている。稲田を外敵のネズミから守るのは「蛇」とされ、脚摩乳（あしなづち）・手摩乳（てなづち）とは「足無ツチ・手無ツチ」であり、その正体は「蛇」であるように思う。

そして、少女の名は、「奇稲田姫（くしいなだひめ）」。古代において、奇（クシ）や櫛（クシ）は「蛇」のことを指すものでもある。それを裏づける話が、スサノオ（素戔嗚尊）が「奇稲田姫を湯津爪櫛（ゆつつまぐし）の姿に変えた」ところにある。

スサノオがクシイナダヒメを「櫛（クシ）に変えた」とあるのは、スサノオの呪力で「蛇の性（さが）に戻った」ということなのだろう。その姿となってスサノオの結った髪の中に身を隠したのだ。一種のカモフラージュだ。

というようなことから、稲田一家は「蛇」の一族だったことになる。ここには古代出雲の謎を解くヒントが隠されている。この神話は、出雲古族、つまり、龍蛇族に関わる話で、「スサノオは出雲古族の大王家の入り婿（養子）となった。そのことで、古代出雲の国は大きく二分された」という話に繋がってくる。

八岐大蛇の尾から出てきた剣だが、日本書紀ではこの剣を天叢雲剣とし、素戔嗚尊は天神（あまつかみ）に献上している。また書紀の第八段一書（二）では、この剣は蛇之麁正（おろちのあらまさ）としており、今は石上にあると記している。石上とは石上の布留社（ふるのやしろ）、つまり、石上神宮のことに他ならない。さらに、同、第八段一書（三）では、吉備（きび）の神部（かむべ）の許にあると言っている。

ヤマタノオロチ（八岐大蛇）の尾（体内）から剣が現れたことを解読すれば、オロチに仮託された一族を征服したことによって、相手の製鉄技術を手に入れたことを意味する。オロチは出雲に古代から出雲の地にいたタタラ（製鉄）の民であり、海上で船を操り、海洋交易も盛んだった。この一族は龍蛇信仰にあり、クナト（岐）の神を奉ずるアラハバキ（荒覇吐、荒吐、荒脛巾）であった。

このヤマタノオロチ（八岐大蛇）の尾から出てきた剣については、一大叙事詩ともなる内容なのだが、これを話すには紙面の都合もあり、また今回のテーマとも直接重ならないので、この続きは次回に譲りたい。

さらに、この「ヤマタノオロチ（八岐大蛇）退治」の神話には別称があるのだ。「天の大蛇斬り（アメノハハキリ）神話」である。蛇を古語では「ハハ」と呼び、蛇を斬った話だから「ハハキリ」になる訳だ。蛇で母とくればイザナミを指す。とすると、斬り殺されたのはイザナミということになる。しかし、イザナミを死に至らしめたのは火の神のカグツチ（迦具槌命）であったはず。

サンカ（山の民）の伝承では日本にタタラ（溶鉄技術）をもたらしたのはスサノオだとしている。そう言えば、スサノオが斬り殺したオロチ（大蛇）の尾から出てきたのは「剣」だった。剣は溶鉄技術によって産み出されるものだ。火の神と溶鉄技術をもたらした神。この両者には「火」の共通点がある。これを密教的解釈で言うなら、「煩悩を火で焼き尽くす不動明王の玄理」となる。そして、不動明王の手にも「剣」が握られているではないか。また「蛇」は「執着や煩悩の象徴」としてしばしば登場する。

ところで、この話を秘教に照らせば、スサノオ（須佐之男神）と大天使ミカエルの関係になる。この両者には共通する役割がある。つまり、スサノオ（須佐之男神）のオロチ（大蛇）退治とミカエルのドラゴン退治とは同じ玄理に基づいているということだ。その玄理とは、両者は共に混沌とした世界に秩序をもたらす聖なる存在であることだ。カオス（混沌宇宙）の中にあって無秩序にさすらう原始のエネルギー、または、地底から噴出するエネルギーの象徴とも置き換えられるオロチ（大蛇）やドラゴン（龍）は、宇宙の大いなる目的に向けて秩序立てられるべきものであり、また逆に、秩序立てられることで、大いなる創造的な力に変容し得るエネルギーでもある。これを人間にあてはめれば、「利己的な自我の克服」を表している。

最終章

人類の未来に奇跡をもたらすイナリ！

イナリ奥伝「宇宙創成・生命創造の玄理」

では白翁老が開示するところの「イナリ奥伝」とはどういうものなのだろう。

この世のすべての現象は連動している。その現象がこの世界の幽空、あるいは三次元的事象としては物の姿に、物の形にシンボルをもって刻印されている。洋の東西、古今を問わず、そのことは変わらない。世界の現状、過去に起きた本当の歴史、人類の未来すら、目の前の疑問を心の鏡に照らして深く見つめ、そのシンボルを解き明かせば見えてくる。

従来の稲荷は「日常の生活を大切にすることを基本とし、その生活を支えるうえで、人々が豊かに生きる暮らしをサポートすること」にあるが、日常の中で普通に生活すること。しかしそれを手にすることがいかに難しいか。人間は常に我欲の中で生き、その我欲に心は振り回され、それが満たされぬと争いになる。日常で普通に生きることの幸せ、普通に暮らすことの大切さ、その大切さが心の底から分かるには時が必要だ。人間から欲が消えない限り、また、その欲をいつまでも追いかけている限り、普通の暮らしは訪れない。欲に呪縛された生活がどれだけ人間の霊性の進化を阻んでいることか。欲張る思いから離れる。言い換えれば、我欲を解き放つ。そうするとあまり時を経ずして平和が訪れる。その平和な状態を普通と言う。

稲荷は一見するとご利益信仰に見え、また昔からそのように言われてきたが、本来の稲荷は、実はそうではない。稲荷は人間の心から我欲を取り除き、人間のその欲のところを巧みに利用し、最終的には人間本来の生命の本質としての「魂の目覚め」へと導くものだが、さらに奥にあるイナリの教えは、「生命をあるべき本来の姿に戻すことで、生命力を再び活性化させ蘇生させるための秘儀の伝授」にあると言えよう。この秘儀が「イナリ奥伝」なのだが、その秘儀の伝授者は、「生命の活元原理」を伝える上で「フトマニノミタマ（布刀摩邇之御魂）」という宇宙創成の符図を用いる。真理の探求者は、自らの生命をその符図に示された宇宙創成の玄理と生命創造の玄理に照らし合わせ、生命創造への理解を深めて行くのだ。これについて白翁老は次のように述べている。

「稲荷の元にイナリあり。それ、いのちなれ（命成れ）に始まりて、いのちなりなる（命生り成る）の言霊ぞ。いのちのりのり（命宣り乗り）ての息吹き。則ち、命の火となれり神の光にあるなり」

イナリの本質は「意念（思念・意識）」であると言う。人間が「意念する」こと。それ自体が「霊の働き」なのだと。そしてその「意念」の本体であるところの「霊」こそが「命」なのだと言う。

生命体が誕生するプロセスは、まず霊次元で霊的生命の意念が言霊で放たれ、そこで霊次元に三次元の概念が醸され、次にその概念を現象界（現世）の質量的生体（肉体）に送り出す形になっている。これをワクムスビ（和久産霊）と言う。

そのことが白翁老の言霊に「イナリ奥伝」の一節として語られている。

「イナリハイナリ（意なり＝意成り）イノチナリ（命生り）

イノチノツキヒ（命の月日）トホメグリ（遠巡り）
クニノマナカニ（地の真中に）トワニタツ（永久に立つ）
クニノミハシラ（国の御柱）ツクルカミ（造る神）
トワニタツユエ（永久に立つ故）トコタチノ（常立の）
トコヨノクニトゾ（常世国とぞ）ナリニケル（成りにける）
イクトセスギタル（幾年過ぎたる）オガミヤマ（拝神山）
クシキワザモテ（奇しき業保て）イナゲビト（異人）
コトニアタリテ（事に能たりて）ダイジナス（大事成す）
アトヲウケタル（後代を受けたる）マツリゴト（密儀祭事）
マカリテ（罷りて）イクルワザヲツギナス（生くる業を継ぎ成す）」

《解説》

「イナリは意念（思い）、生命そのものである。つまり、イナリとは生命を意のままに成らしめ、思いのままに誕生させるものである。人間生命は、気の遠くなるような年月をかけ、遠く旅をしながら生命を循環させてきた（輪廻転生の繰り返し）が、遥か太古、高度生命体は大地の豊饒を目的とし、地球のコアから放出されるエネルギーと宇宙の中心から地球の表層部に放射されるエネルギーを繋ぐため、大陸の中心に霊柱（モノリス）を立てることにした。それを立てたことによって、宇宙の太元霊（モトス）が夢見た惑星の理想郷を完成させることができた。永い年月が過ぎ大陸は分裂し、移動した大陸のある領域にその霊柱（モノリス）も移されることになった。その頃、霊柱（モノリス）は山の頂上に置かれていた。そこは神山と呼ばれ、原住民の信仰の礼拝対象となり聖域とされた。それがイナリの山である。と言っても、このイナリの山は現在の稲荷山ではない。やがてその神山に特殊能力を持つ異人集団がやって来た。この能力者集団は地球の各時代に事変が生じた時、その対処に向け、その能力を使い重要な役割を果たした。そしてその能力を代々継承している秘儀がある。それは死して生きる業。言わば蘇生活命術であり、イナリ秘教団はそれを継承する人々である」

先の言霊はおよそこのような意味だが、一言で言うなら「蘇生技術」になる。と言っても、真の蘇生とは、「見えない世界と見える世界を同通させることで、これまでの死の概念を消滅させること」である。これを実践することによって人間の魂は解き放たれ、輪廻転生から脱け出せるとイナリ秘教は説くものである。

ということで、稲荷はお蔭信仰でもご利益信仰でもない。とはいっても稲荷は単なる信仰という訳でもない。イナリ開示（稲荷本来の教え）は、「心身の錬成によって宇宙太霊と繋がり、その太霊に通じることで、揺るぎない信念が育まれ、その錬成を繰り返す内に無限の生命活力が心身に漲るようになり、その流れに沿う形で豊かな創造性に満ちた人生が訪れる。そのような人間本来の生き方を取り戻す秘儀」を説いたものである。この道を「太礼（フトノリ）」としている。

稲荷とは何か？　それは稲荷でもなく、伊奈利でもない、「イナリ」なのである。イナリは本来「生命の創生原理」を説くもので、「命成り（イノチナリ）」である。しかもそこには非常に霊的要素が含まれる。言わば、物質の背後にある霊性に重点が置かれた玄理だと言えよう。それが「イナリフトマニ」の正体である。それは、目に見える世界を目に見えない「裏（ウラ）」の次元から「綯う（ナウ）」働き、つまり三次元を霊領域（霊的レベルでの生命の創造基盤＝宇宙の霊的マトリックス）から操作する働きを言う。これは「卜（うら）」や「占う（うらなう）」の語源ともなった。

白老翁の曰く、

「天地（アメツチ）これ太霊（ウル）より生ず
言霊（コトタマ）を以て天球顕現す（アマタマミアレス）
治世安息の極意　是仁和温柔（にんわおんじゅう）の産霊（ムスビ）
則ち慈（イック）しみにて心和らぎ、
温（ヌル）みて身柔らぐ　真合（マアイ）を以て
天球（アマタマ）胎中（フクチ）に定むることなり」

白翁老は、フトマニノミタマの図を解くにあたって、まず宇宙球をどう扱うか、その身の処し方をウタで諭したものだ。フトマニノミタマは宇宙球だと言う。
このウタは、現宇宙は霊宇宙から生まれており、その霊宇宙の霊波動によって宇宙間に天球（惑星）が誕生し、すべての物質世界は創造されていく。

そこで、人間がこの現世を生き抜く上で、その人生を平和で安らかに治めるための最も重要なことは、現宇宙を創造している霊波動が「愛和」の働きそのものであることを知っておかねばならない。それを覚ると、自分自身はもちろんのこと、万命万物を慈しみ愛することが自然とできるようになり、常に心を仁和にし、身体を動かし温かくすることで身体も柔軟になる（そのことで思考も柔軟になる）とする。

さらに、意識を自らの心身の中心に深く安定させることで、すべてを霊宇宙の絶対中心に和合させること（それが自然生命力としての産霊の力を得る方法）。すると、呼吸が身体の動きに合った頃合いを見て、臍下丹田にその天球（惑星）が定まるというような意味である。まあ、実際にお腹の中に惑星が入る訳ではないが、この場合は地球意識との一体化（地球の心と一つになるという感じ）を指したものだ。

イナリへのさらなる高度な認識に至るには、「魂に翼を得て（物質の拘束性から解き放たれた魂）、高次との交流を深めようとする者」、もしくは「生命の根源の世界（五次元意識）に向かう努力を惜しまない者」のみがその認識を受け取る仕組みになっており、その認識を感得することで、太古の「ユニバーサルな生命哲学」、そしてその「神聖なる霊的玄理」の隠された場所を見つけ出すことができる。

イナリ奥伝「フトマニノミタマ」

――伊奈利太真丹符図『布斗摩邇之御魂』天地開闢創成之図――

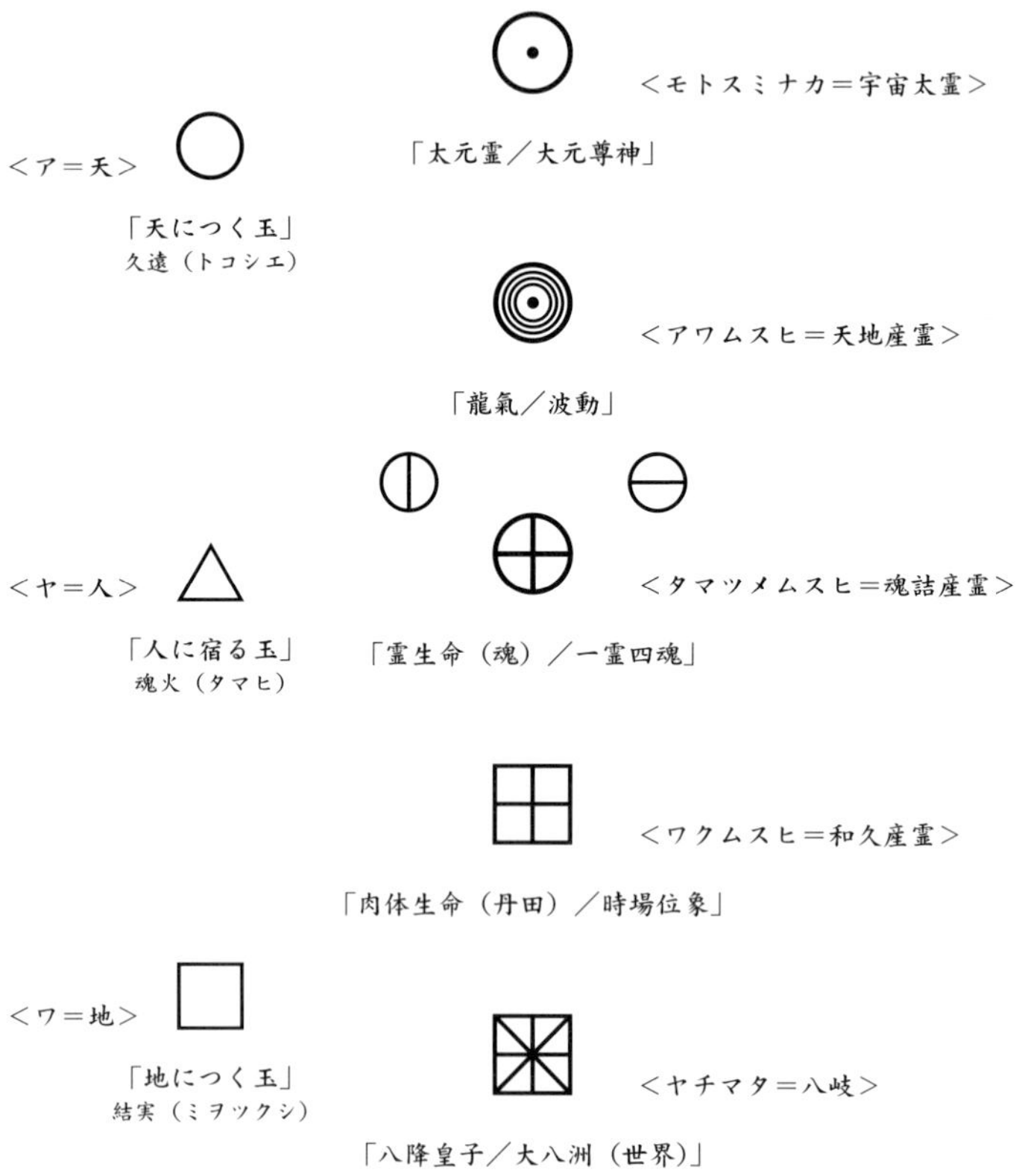

この「フトマニノミタマ（布刀麻邇之御魂）」はイナリ奥伝に説く「天地創成図」であると同時に「生命創生図」でもある。この図を「イナリ秘符」とも言う。

この符図「⊙」「◎」「⊕」「田」「⊠」は、宇宙創成の仕組みを表したものであると同時に生命創生の仕組みをも示しており、また、物事が現象化し、形成化される順番をも表している。

この二つの過程が一つの図で表される理由は、天地創成と生命創生とが同じプロセスによるものであることを示したものだ。

人がその霊的進化において、あるいは地球上における活動において、宇宙からもたらされる霊エネルギーをいかに享受するか、それの降下の順番とパワーを得るための霊中枢（身体上のエネルギーコア）の位置、さらに、これらが集約された宇宙球（ユニバーサルプラズマ球体）の正中心に身体を置き、そのパワーを受け取るポジションまでもが示されている。

そこで各図の説明をすると、「○」「△」「□」の図は万物の形成における宇宙の基本的三層構造を表すもので、まず「○」は「ア」、「アマ」と読み、「天（宇宙）」の象徴である。神名に冠する時は「アメ」と読む。古代エジプトでは、アメンは太陽神アメンを指すが、キリスト教のアーメンはこのアメン信仰の名残りとも言われ、この祈りの言葉には古代の人々の意図的仕組みがあるようだ。

太陽神アメンは、第十一王朝から第三十王朝までの約一七〇〇年間、エジプト文明の中心に神々の主神として位置付けられてきた。そのアメンはアモンとも呼ばれ、アモンミトラとも言う。ミトラ神はエジプトだけでなくインドにも入ってマイトレーヤと呼ばれるようになり、それが中国に渡って弥勒（ミロク）となった。ミロク（ミトラ）とキリストは本来同じ源からなるもので、その救世玄理からも分けられるものではない。

続いて、「△」。これは「ヤ」と読み「人」を表す。

そして、「□」。これは「ワ」と読み「地」を表すものだ。これらは宇宙における三層の顕われで、「〇」は霊の活動の領域、「□」は物資の活動の領域である。

本幹部分の「⊙」は「モトス（太元霊主）」。「大元尊（だいげんそん）」とも呼ばれる。これは「無限の英知」「無限の慈愛」「無限の霊エネルギー」が湧出する宇宙の絶対中心を表す。

続いての「◎」は「ムスヒ（産霊）」。これは宇宙の創成と変容を司る螺旋流動力

（螺旋波動力）、無尽蔵の霊エネルギーを表すものである。

次の「⊕」は「イノチ（霊命）」。「霊命（霊的生命：魂）」が万物の内部に入って「生命の核（魂）」を成した状態を表す。「霊命」は誕生した五次元に存在しながら、三次元として認識されているこの物質界にその意識を印加した状態にある。

その「霊命」が物質の中に流入し、肉体を形成した状態、これを「肉命（肉体的生命）」「ワクムスヒ（和久産霊：物質的生命）」と言い、「田」で表す。またこれは、肉体をもって生まれた人間が、地上で活動するために必要な氣力を蓄える腹部のエネルギーコア（腹部の霊枢：氣海丹田・臍下丹田）をも象徴し、特に天（霊界）のエネルギーと地（大地）のエネルギーを和合させ、変換を行う部位でもある。

「⊠」は「大八州（オオヤシマ）」。世界全土を表す。天地創成神「クニトコタチ（国常立尊）」は八人の御子に世界全土を治めさせた。八方向に八幡（やはた）を立て、八降神（やくだりがみ）としてそれらの地に天降り、それぞれの国を治めたという太古の歴史がこの図には記されている。

人は生命本源の「モトス（太元霊主）」に帰ることで宇宙との一体化が成される。

この図のプロセスを逆に辿ることで人間生命から宇宙生命（宇宙霊・太元霊主）の存在

に近づくことができ、その大いなる霊性と融和し、霊性の進化がなされるのである。

これからの時代は人間のひとりひとりが神我一体化していくことになる。神我一体とは宇宙意識の霊と肉体意識の自我が一つに融合することにある。本来は霊であるところの高次意識の自分に目覚め、肉体に支配された状態の自我の解放を行うことである。これを「目覚めし小宇宙の天主（スメロギ）になる」と言う。それには、祈りあるいは心身の神聖統一を行い、呼吸を練り深めて肉体内を清め、精神を玄妙にし、自らの心を魂の光で包み込み、また慈愛の氣で身体を包み込み、心を整える。身体操法（練舞法）などで丹田を錬り、心と体の角を取りながら、心の中心を整え、体幹を捉え、感応法（フィーリングワーク）と瞑観法（ビジョニングワーク）をもって天と地を包み込む感覚を養い、霊衣（オーラ）を大きくさせていく。

そして、最終的には宇宙との一体化を目指す。それにはまず縦軸として、天地宇宙と自分とを結ぶ光の柱を瞑観によって立てる（これを太礼と言う）、次に横軸として、自分を取り巻く人々や環境に対しての愛の波動の発露、それによってすべての調和を図る実践（これを愛氣と言う）に努めること。この二つの実践が鍵となる。

実は、この二つが高次の世界に参入する（これを最近ではアセンションと言っている）最低条件となる。もちろん常世（トコヨシャンバラ）への参入も同じやり方である。

フトマニノミタマと三種神器

さて、ここで三種神器（ミクサノカンタカラ・さんしゅのじんぎ）の話の続きになる。その概略は、イナリの正神「三柱神」の章で聖数「三」に関わる話として皇位継承の三種神器（ミクサノカンタカラ／さんしゅのじんぎ）と現人神（アラヒトガミ）の内容をもって語ったが、ここではそれの真義について詳しく説明したい。「

先ほど述べたフトマニノミタマの三つの符図の「⊙」「◎」「⊕」は、皇位継承の三種神器（ミクサノカンタカラ・さんしゅのじんぎ）の原形となったものである。「⊙」「◎」「⊕」はそれぞれ「鏡」「玉」「剣」に対応している。そして、この三つの神器が揃わなければ「天津日継ぎ（天津霊継ぎ：アマツヒツギ）」という皇位の継承がなされない。しかもその神器の象（かたち）には、天皇が天皇である由縁、天皇が現人神（アラヒトガミ）となるための玄理、天皇が現人神（アラヒトガミ）であり続けるための天地の理が示されている。

「聖なる太陽の門」

天の岩戸開き（利己的エゴから心が解き放たれたことで真理に目覚めた状態）が起こると、瞑観（視覚化統一瞑想）に入った時、聖太陽十字（日ノ輪十字・神聖円十字）の象（かたち）が脳裏に視覚化される。めったに起こらないが、その象を肉眼で見せられる場合もある。「剣」と「鏡」が合体した璽（シルシ）」としての象が視覚化されたことは、「太陽神霊（太陽神霊界）とのウケヒ（誓契・受霊）が成されたことの証」である。

するとと次の段階として、今度はプラチナのように輝く正三角形が視覚化される。

三種神器
（ミクサノカンタカラ・さんしゅのじんぎ）
「人が神と化す霊的秘儀」の象徴

この象は太陽神霊界に入るための「光の神殿（光のピラミッド：太陽神殿）」の前に霊的に立ったことを意味する。そして、それが視覚化されると、しばらくして今度はその光の三角形の上部あたりに「三つ巴」の形をしたプラチナのような光を放ち、尾を引きながら回転する三つの玉が視覚化される。この三つの玉が視覚化されたということは、太陽神霊界に入る鍵を授かったことを意味する。

三能一元
太陽神霊界の門を守る
光の剣を持つ聖霊
回転する三つの霊力

この「三つの勾玉（マガタマ）」の秘教における解釈は、一つは「大いなる英知」、一つは「神聖なる愛」、一つは「宇宙の霊的エネルギー」である。そしてこの三つの源泉はそれぞれ身体の「上丹田（頭部の霊中枢）」、「中丹田（胸部の霊中枢）」、「下丹田（腹部の霊中枢）」に対応していると白翁老は言う。

「三つの勾玉（マガタマ）」が一つに統合されることで、ある霊的な現象が起こる。「大いなる英知」、「神聖なる愛」、「宇宙の霊的エネルギー」が一つになると、人の意識は光速化し、その心身は光体化（霊化）する。光そのものになるのだ。そして、その霊体は太陽神霊界に参入するための神聖太陽の門の前に置かれ、その門前で太陽神霊（霊太陽）とのウケヒ（受霊・誓契）が行われることになる。その時に目の前に現れるシンボルが「聖太陽十字」である。「日ノ輪十字」とも言う。天皇が崩御（亡くなること）すると、櫃（ひつぎ）の上に神器の鏡が置かれ、その上からもう一つの神器の剣を重ね合わせる儀式がある。この儀式はまさにその「聖太陽十字」を表したものである。この璽（シルシ）は太陽神霊界とのウケヒ（誓契・受霊）を意味する。それは「太陽神霊界の代理者＝光の導師」となることの誓いであって、その証であった。「三種神器」に秘められた神業（ミワザ）はまさにこれであり、それこそがスメロギ（天皇）となることの由縁であった。

　秘教霊学において、「剣」は「低我の克服（利己的エゴとの決別）」、「障害の克服」、「時間の切断」、「未来に通じる路の切り開き」を表す。それらを可能にするには強い意志が必要となる。その意志力によって、「試練に耐え抜く力」も得られ、「心身を瞬時に真空状態に置くこと」なども成就できる。そのようなことから「剣」はその「意志の力（ウィル）」を表すものだ。

「鏡」は「相応の理」という鏡の法則を表し、また「思念（イマジン）の力」も表している。つまり「鏡」とは「思念の力を解放し、思いが自在になる魔法の神器」なのである。この神器を自らのものにすると、「霊光の放射」、「時空の変換」、「あらゆる次元への往来」が可能になるとされる。「玉」は「霊命の力（霊的生命活力）」「生命の守護力」を表す。

「玉は三つ揃うことで生命の守護力は完全性を得る」。これは前述した。その力は「超自然力としての霊力（マナ）」であり、「創生と再生」、「諸天球の回転」、「宇宙の螺旋流動力の主」である。また「太陽神霊界への神門を守護する力」でもある。これもすでに述べた。

このように「三種神器（さんしゅのじんぎ）」の霊的秘儀の目的は、その三つの力、「意志の力（ウィル）」、「思念（イマジン）の力」、「霊命の力（霊的生命活力）」を総合的に駆使し、それをもってスメロギ（天皇）となる者の内なる霊的な力を目覚めさせ、真人（マヒト＝神人）と化すことにあった。

この三つの神器を自らの力としなければ真人（マヒト＝神人）にはなれない。この三つの神器（霊的な能力）が揃って初めて「田（物質界）」の活動が自在になる。それによって、「⊠（大八州・全世界）」に向けての活動にも臨むことができる。「三種神器」の秘儀、その元となったイナリの秘符「☉」「◎」「⊕」にはこのような秘教玄理が示されてあったのである。

運命を転換させるイナリの奥義

稲荷はご利益信仰と世間では思われているが、そうではないことは何度も諸章で説明した通りである。稲荷の神社にお参りして、お祈りしただけでご利益を授かるほど稲荷の神の世界はそう甘くはない。それは稲荷の神に限ったことではなく、神々の世界はすべてそうである。人間の世界ですら努力を惜しまず、先学からよく学び、よく働き、汗を流し、知恵を絞り、経験を積み、技術を磨き、能力を高め、社会に貢献して生きていかねば、世間に認められるのはなかなか厳しいことなのだから、神々の世界はそれ以上に厳しい。

かつての人々は、稲荷にお参りすればご利益がもらえると自分の都合でそう思ったに違いないが、稲荷の方にすれば、それはそれで信仰者が増え、たくさん参拝に訪れることにもなるので、やがてはそんな人々も稲荷本来の道に出会う機会も多くなるだろうし、喜ばしいことではあるけれど、その反面、インスタント食品のような感覚で安易にご利益を求めてくる人々の心には、稲荷の真の教えというものが届かなくなるし、稲荷の神の側にしても「ハテ？　これはどうしたものか？」と、はなはだ困っておられることと思う。前に述べたところでかつての人々と言ってしまったが、それは今の人々も同じことで、稲荷の実体が何かを知らなかったただけである。何度も言うが、ここで正しておくと、稲荷はご利益信仰の神ではない。譲歩するとすれば、稲荷は「運を招く」という霊的な流れにあることだ。そのことから、かつての商人は「稲荷にはご利益があるもの」と勝手に思い込んでしまったというのが真相だ。この「運を招く」というところに稲荷の真骨頂がある。

ところで話は日本のアスリートに及ぶが、オリンピックや世界大会などに出場する日本の代表選手は決勝戦に弱いといった噂をしばしば耳にする。いわゆる「本番に弱い」というそれである。オリンピックや世界大会などの公の場でそれが露呈し証明されてしまった。フィギュアスケートしかりバレーボールしかりサッカーしかりテニスしかりである。決勝戦を終えた選手からよく聞くコメントとして、自分のプレーができなかったと言う。相手選手もしくは相手チームはノリノリで、ストレート勝ちをする場面も多く目にする。しかしこれは本当に力の差だったのか？

否、それは違う。技術の面では、日本選手（日本チーム）も相手選手（相手チーム）もそれほど変わるわけではない。差があるとすれば、折れない心、ハングリー精神、日々培ってきた建設的（ポジティブ）な思考性が当日に反映されている状態、うまく肩の力を抜いた状態にあってかつ強力に集中した意念の力、その持続力や持久力など、それらが相手（相手チーム）より足りなかった。さらに、とことん自分を信じきる暗示力など、解決すべき弱点のほとんどが精神的な力の部分にあるのだ。

心を解き放った状態にあっての深い集中力がないと、「運」を引き寄せることは難しくなる。負けが続くと気が落ち込んできて、その低迷した気が「運」を保つ「気のノリ」を悪くする。「運」を手放すことになるのだ。つまり決勝で負ける要素は、「運」を呼び込む力が相手選手（相手チーム）よりも劣ってしまった点だ。言葉を変えるなら、戴けない話ではあるが、「運」を逃す要素が相手選手（相手チーム）よりも上回っていたことにある。それに、負けが混む選手は、相手に「気後れ」しているる状態が度々起きているはずだ。気後れがあると相手に正気を呑まれ、陽気な感覚も消えて、陰気が自分の精神や肉体を被ってしまうので気迫も気力も失せてしまう。するとその者から「運」が離れていく。気後れも「運」を遠ざける要素の一つだ。また「気弱」もダメである。気弱だと相手の気に呑まれてしまう。

その逆に、勝ち進んでも魔が入る。勝ち進んで行くと知らず知らずの内に優越感とか安心感などが顔を出し、気がついた時には気が弛んでしまっている。この「気の弛み」も要注意である。この気の扱いが下手なのは何も選手ばかりではない、日本人全般によく見られるケースなのだ。つまり、気後れ、気弱（他者の気に呑まれる）、気の弛み、これらは「運」が自分から離れる要因だ。結論を言えば、「運」というものは「気」のあり方次第で自分サイドに引き寄せもでき、自分から離れて行きもする。では、気後れ、気弱（他者の気に呑まれる）、気の弛みなどを起こさないためにはどうすればいいか？　それにはまず、「氣」の本質をしっかりと知っておく必要がある。

「氣」とは何か？　それは天地の間にくまなく満ちている霊妙なる命の波動、霊妙なる命の情報である。言うなれば、限りなく霊的作用にあるところの磁波（磁気エネルギー）なのだ。それはまた、天地宇宙に螺旋流動している光の粒子波動である。

よって「氣」が人体に流入すると生体に生命力を与え、生体を活性化させる。つまり、血流は促され、体温が上がることで筋肉は柔軟になり、脳幹は刺激を受けてホルモンはリ・バランスし、頭脳は明晰になり、直観力も増し、氣の媒介によって、時空間に記憶された霊的情報を瞬時に読み取る能力をも人間に与える働きをする。

それでは、「氣」というものをどうやって人体に流入すればよいのか？

「氣」を体内に流入するうえで最も効果的なのは「思い」である。「目的を定めた強力な意思」とか「確信に満ちた思念」にある。氣の法則性として、「氣は念に従う」というものがある。すると次に、その「念」を深めたり、強くしたりするにはどうすればいいかだ。それは「念の力をただ信じる」。その簡単かつ純粋な「己の内面に秘めた信念」、「目的を成し遂げたいという熱意！」、「未来の成功に向けて募る情熱」、その「熱き夢見」に尽きる。「念」は「氣」を活性し「氣」は「運」を呼び込む。そのことからすると、「運」は「念」それ自体の結果であると言える。これが「運」の正体なのだ。この「念」「思い」「夢見」これこそが、イナリ秘教の説き伝える数々の奥義の根本なのである。

ここで、稲荷は「氣の神」でもあることを伝えておこう。稲荷の三峰に奉祭されている三柱神の一神がサルタヒコ（猿田彦神）であることは何度も述べているが、稲荷が「氣神」でもあるというのはこの神をもって言う。サルタヒコは「氣」をもって万象万物に「命を吹き込む神」である。つまりサルタヒコはイブキドヌシ（伊吹戸主神）でもあるのだ。

では、他の稲荷の神の神業（みわざ）は何かと言うと、サルタヒコが「氣」であるのに対し、アメノウズメ（天宇受売神）は、古事記に「與伊牟迦布（いむかふ）神　面勝神」と記されているように、「興り勢い向かう神に眼の力で（ウズメは奇しき目、ミヤメは神の目と解釈し）勝る神」との意味から「念」の神業（みわざ）を、トヨウカメ（豊宇賀売神）神業（みわざ）は、天地の「氣」を受ける丹庭（タニハ）の天然の水甕、「天の真名井（アメノマナイ）」の女神のなせるところから子宮、あるいはマナ（氣）を入れる壺、つまり「丹（マニ：腹部の丹田）」の神業（みわざ）を表す。これはそのまま「フトマニの行法」ともなっている。

さて、その「氣」を扱う方法だが、「氣」の扱いは「マニ（氣海丹田）」の錬成から始める。それには「息（呼吸）」の扱いとも合わせてその錬成を行う必要がある。それがある程度上手くできるようになってくると、次は「念（夢見）」の扱いに移り、仕上げは「言霊（コトタマ）」の扱いになる。その最終的目的は「フトマニ（布刀麻邇）」の感得にある。稲荷古道では、それらの行法を伝えるのに語呂合わせを巧く使っている。

それは「稲荷（イナリ）は鋳也（イナリ）」で始まる。鋳（イ）は鋳型（いがた）のことで、鋳物（いもの）を鋳造する際に溶かした金属を注ぎ入れる砂型のことだが、転じて、物事を現象化させるための「幽型」を指す。これが「氣」の一つの重要な役割となる。神事における「型示し」はこの操法の線上にある。

続いて、「稲荷（イナリ）は意也（イナリ）」、つまり「意成り（イナリ）」である。意は思いだ。思念、想念、深い思いを言う。深い思いは「信念」に至る。信念こそがすべてを貫く奇跡の力となる。この信念の力が「氣」を自在に扱えるようになるのだ。氣の法則性に「氣は念に従う」ということはすでに述べた。

続いて、「稲荷（イナリ）は言い成り（イイナリ）」。この「言い」は言うことである。言葉にして発することだ。言葉に発して物事に影響を与え、言葉に発することで思いが成就することを言う。でも、ただ言葉に発するだけでは何も変わらない。強い信念のもと言葉に発する、つまり入魂（魂を込めて）して発することで有言実行となるわけだ。

日本では古くから「言葉には霊が宿る」と伝えられているが、これが「言霊（コトタマ）」である。まさに言葉に霊を宿らせることを言う。「言は事を生じる」。ここにこそ言霊の妙味がある。それをなすには「念」の力を合わせた方が有効である。前述した各行で、手を変え、品を替え、事例に出しながら説明したように、それらの働きのすべては「氣」が重要であること。また、その「氣」の力を扱うためには「伊吹戸（いぶきど）の息氣（イブキ）」「息（呼吸）」の力が不可欠な要素であることを理解してもらえたことと思う。

結論として、稲荷が「運を招く」という根拠には、稲荷のこの行法を修めることを含んでいるのである。そして、ここからがイナリ秘教で最も重要なところなのだが、その行法は「稲荷愛法」を修めることでもある。その「愛法」の根源に「イナリ秘教」がある。

白翁老の曰く、

「人が『最善の知恵』を求むるならば、『真実の愛』を吾が内に見つけよ。それがためには、吾が内なる霊域に、静寂さをもって心を深く沈め往く作業が求められるであろうが、吾が心がその内なる霊域の聖中（聖なる中心）を見つけ、そこに合致（フィット）したならば、内なる『真実の愛』はその鼓動を開始する。

また、人が『障壁を超える力』を手にしたいと望むならば、『真実の愛』をまず求めよ。それを求め行くと、その実体が『神聖なる光』の中にあることを知るであろう。何よりもその『神聖なる光』を吾が内に見よ。『真実の愛』はその『神聖なる光』の中からやってくるのだ。そして、吾が内なる霊域にその神聖なる光の耀きを見よ！それがイナリ秘教を修める鍵ともなる。吾が内なる霊域、吾が内なる宙天からもたらされるその『最善の知恵』、『真実の愛』、『障壁を超える力』は、その『神聖なる光』を脳裏、胸中、腹腔に見ることで吾がものとなる。その三つの宝珠が、吾が内なる霊域で『神聖なる光』と一つになったのであれば、その者の前に奇跡は訪れるであろう。イナリが『光』であると共に『愛法』であるのは、その働きの根本が『蘇命（そみょう）』にあるためである」と。

まさにこれこそが真実の「イナリ愛法」と言えるものだ。しかしこの真実を知る御仁はそう多くはないだろう。

人が「最善の知恵」を求めるなら、「真実の愛」を自らの中に見つける必要がある。それには、心を内なる霊域に静寂さをもって深く沈めていく作業が必要となる。そして、自らの心が内なる霊域の中心を見つけそこにフィットした時、「真実の愛」はその鼓動を開始する。また、人が「障壁を超えるパワー」を手にしたいと望むなら、その「真実の愛」を求めよ。それを求めていくと、その実体が「神聖なる光」の中にあることを知る。何よりもまずはその光を自らの中に見よ。「真実の愛」は「神聖なる光」の中からやってくる。そして、自らの内なるところに「光の耀き」を見ることがイナリ秘教を修める鍵となる。自らの内なる霊域、内なる宇宙からもたらされるその「最善の知恵」「真実の愛」「障壁を超えるパワー」は、「神聖なる光」を自らの脳裏、胸中、腹腔に見ることで自らのものとなる。その三つが、自らの内なる領域で「神聖なる光」と一つになったなら、その者の前に奇跡が訪れる。イナリが「光」であると共に「愛法」であるのは、その働きが「蘇命（そみょう）」にあるためである。これこそが真実の「イナリ愛法」である。この真実を知る御仁はそう多くない。

常世（トコヨ）という次元への夢見へ

何度も繰り返すが、この「イナリコード」の内容全体を通して流れるテーマは「生命（イノチ）」だ。イナリは「いのちなりなる」の約まった言葉で、言霊である。また、その言葉には「光を与える者」という意味もあることはすでに述べた。よって、イナリは「生命（イノチ）の輝き」そのものにある。

古来、人間が求めて止まぬものはその永遠性にあった。その永遠性を得る道も洋の東西を問わず、昔も今も変わるものではない。西洋に理想郷の思想があったように、日本にも理想郷なるものがあった。それを「常世国（トコヨノクニ）」と言う。

遥か太古、その国は「国常立命（クニトコタチノミコト）」が創り治められた麗しい理想世界であった。「命の老いることなく、時の終わることのない、すべての生命と時間が深い鼓動の中に息づいていた」と伝えられている。その豊かなる生命力を享受し、今日までその力を万命に分け与えてきた「豊受（トヨウケ）」も、また、その永久（トワ）なる生命の秘め事を握る「イナリ」も、その力の流れにあって存在してきた。そしてそれは色褪せることなく今も存在する。「生命（イノチ）の永遠性」の感得。それは「常世（トコヨ）の次元への帰還」を意味する。魂での帰還だ。それを成すには「霊性の目覚め」の他に道はない。この書の各所に散りばめたイナリ秘教についての数々の言葉は、まさにそこに至るための道を説くものである。

古代中国の神仙思想では「不老不死・不老長寿」に至る方法が説かれており、古代エジプトの神秘宗教では「生命の復活」の思想から、ミイラ造りの高度な技術が発達し、中世日本では密教僧による「即身仏（そくしんぶつ）」が実践された。このように人間は、「生命の永遠性」についてあくなき探求を繰り返してきた。「永遠なる生命」。それこそが、我々人類の長年に渡ってのテーマであった。

西洋の神秘主義、秘教霊学が何より重視したのは、「死と再生の儀礼」である。仏教の「ミロク降臨」の思想、キリスト教の説く「キリストの再臨」の思想、わが国の古文書にアマテラス（天照大御神）の復活を記す「天の岩戸開き神話」など、それらが太古の神秘思想の影響を大きく受けていることは間違いない。

　これからの時代は、「ユニバーサルキリスト（宇宙教師）の降臨を迎える」と言う。また、「ミロク（ミトラ／スーリア）の霊性が現れる」とも言われている。

　しかし、万民に霊的光を与えることになるその霊性は個体ではない、万民の魂を照らす霊的光そのものである。その霊的光が全人類の霊的教師となって、我々人間のメンタルレベルに影響を与え、精神が崇高なレベルに向かう養育を行い、霊魂が高度な次元へと移行できるように誘いながら人類の生命を完成に導く。そのような方法で、個々の生命が自己完成できるよう手を差し延べると言う。

　また、その霊的光の現れは、地上に姿を顕わし始めたシャンバラ霊団の方々にとっては重要な存在となる。と言うのは、高次の数々の霊的存在（地球外生命体も含まれる）がその光の流れに沿うように支援を行うことになるからだ。まさにその姿は霊的光の化身と見えるだろう。さらに、この時を迎えるために古より人間界にあって待機していたもう一つの霊的光の化身とも言える、「ウケモチノミタマ（保茂地御魂／地湧菩薩／ミール）」も次々と姿を現し、霊性の向上を目指す人々の援護にあたりだす。しかしもうすでにその活動期に入っているのだが、地上界の現状保守勢力の意識の妨害によってシャンバラの扉は未だ開かれない状況にある。この遅々として進展せぬ状況を見据えたイナリ秘教霊団は、遂にその扉を開く鍵を人類の前に示すことになる。人類はその鍵を手にすることで各々がその内なる霊域に秘されたシャンバラの扉を開くことになる。そうして、その任を終えたイナリ秘教霊団は最終的にシャンバラ霊団に包含されることになる（詳細は省くが、イナリとシャンバラは繋がっている）のだ。霊的秘教の門を潜り、その秘教を修め、宇宙の真理をとらえる「魂の目を得た者（夢見の法を得た者）」は、そのような状況が訪れることを予知している。イナリ秘教はそれを主眼としている。

なお、イナリ秘教には救世主を待望するという考え方はない。あくまで人間一人一人の霊性の向上を目指し、霊的進化を促すところにあるので、「キリストの再臨」「ミロク降臨」についても、人間各自の内面に「霊的光の御柱を立てる」ことにあり、そこが最も重要な点であると理解している。また、「死と再生の儀礼」も、「ウカノミタマ（宇迦之御魂）の化身であるところの白鳥神儀」や「白鳥を象徴する羽衣天女の天の羽衣神儀」と同じ玄理にあり、それらの伝説の真意が「脱魂（心魂遊離・

幽体離脱）」にあること、そしてそれは「我々人間一人一人の魂における作業」であり、その作業を行うことが「人類の霊性の目覚めにおいていかに重要であるか！」を伝え説くことが急務であると強く認識したので、白翁老から告げられた「イナリ開示」、そこに説かれたイナリ秘教を公開するところにこそ、これまで奥秘され護られてきた稲荷の使命があると・・。

イナリ：ユニバーサルキリスト（宇宙教師）の魂、ミロク（ミトラ・スーリア）の霊性

上・中：© Daniel B. Holeman

イナリに隠された言葉「光のドーム」

この時代、まさに世界は変わろうとしている。しかしその前に日本の滞空霊域は変らねばならない。その理由は、この日本は遥か太古の頃より神々の依り代となっている国だからである。

今は神々の依り代とは言い難いほど濁った状況に陥っているが、その滞空霊域が変われば（高次元の光で濾過し真空の状態にすれば）、日本人の精神のあり方も変わり、光明化したその精神が未来の雛型ともなる。その雛型が形成されると、人類がやがて迎える新たなる次元に人類を誘導するための印が現れる。高次元の光を放射するクリスタルドーム（半円状の水晶態）の出現である。

それは高振動のエネルギー波を発する光輝状の生命場のことだが、白翁老は言う「碗を伏せたる姿で透けて見えながら耀きを放つ命の場なる器が日本の某地に現れるであろう」と。つまり、光の半球状のもの、おそらく光のドームのようなものが日本のある場所に出現すると言っている。それはどこなのか？　そしてそれはいったい何なのか？

遥か太古、この地球上に降り立ち人類のルーツともなった高度な知性を有する生命体は、その時、この半円状の水晶のようなクリスタル状の生命磁場をこの地球の大地に形成した。この生命の変成装置もまた『イナリ』と呼ばれたのだ。まさにそれが「命の光を与える命成り生るワクムスビノミタマ」なるものだ。それこそが「イナリ」の初めであった。

地球上に形成されるイナリの
光の降下のイメージ

位山

※光のドームが発見される某地を見つけるのには位山が鍵となる。それが出現する時、世界を形成した八体の龍神の本体にあたる龍王の「紫金龍（北斗の玉座を守る太元

尊）」が姿を表すと言う。それは「ミロク（ミトラ・スーリア）の霊性（霊的光）」の活動の守護と、これから起こる危機的状況を回避するためである。それには、羽衣を手に入れること。つまり、魂を肉体から解き放つ能力、脱魂法（幽体離脱法）を身につけ、これから訪れる、移行する次元への準備を整え終えた人々は、その光のドームの出現を機に、真人（マヒト：五次元体のことだが、光化体のことでも、黄金体のことでもある）に変容することになる。

近未来ではこれまでのエネルギーと異なる新たなエネルギーの発見が行われる。その新たなエネルギーの普及と活用は、従来の人々にもその生命に変化がもたらされ、生活のあり方や身体の移動方法、睡眠技術や睡眠時間の取り方で睡眠そのものが大きく変化し、寿命も変化する。また原始微生物や酵素と珪素の関係があきらかになり、ストレスの消滅、食のあり方や食事療法、食を通したエネルギー摂取効率が改善され、食そのものが変化する。水を含めた水に関する研究が飛躍的に進歩し、エネルギー問題が解決する。しかしそれが世界経済に大きな影響を及ぼし、従来の経済を崩壊させることにもなる。通信技術の発達により高度情報化社会はさらに進み、ロボット技術の向上に伴い、その二つの技術は統合され、人々は日常生活の労働から解放されることになり、移動手段は重力制御の秘密が解かれ、その技術によって車輪が必要でなくなり、宙に浮いた状態で移動する空挺時代に突入する。さらにその先において、人々はより精神的な向上を目指し、それとは逆に、未来展望のない者は怠惰になり、精神は堕落の一途を辿るようになる。近未来の社会はその両者で二分されることになる。これらは太古の時代に人類が経験したことである。信じられないだろうが、ＤＮＡの記憶の中にはそのことが記録されている。

イナリは日本の人々と世界のあり方を変える

宇宙の時空は大きく分けて三層構造になっている。それは私たちの住んでいることの地球の時空も例外ではない。一つは、私たちが日々の暮らしを送っている一日24時間の現実的な世界。続いて、過去とか未来、または夢やイメージの世界に心が旅する非日常の世界。例えば、神代の頃や古代の歴史に思いを馳せ、やがて体験することになるであろう未来の世界を想像するのはこれにあたる。あと一つ。それは私たちの生命の本質であるところの、円満でパーフェクトな光り輝く高次の意識の世界。これは人間の真の世界だ。何らかの導きでそこに通じることができた者は、そこから神聖な光と英知とエネルギーを受け取り、今、我々が暮らしている現界をもっと素晴しい世界に変化させて行こうという使命を実感することになる。現実（リアル）の世界と、想像（イマジン）の世界と、直観（インチューション）とか霊感（インスピレーション）による高次元の認識の世界、宇宙の時空にはこの三つの認識の世界がある。そして、現実と高次元の認識の世界を橋渡しするのが想像（イマジン）

の世界である。つまり「想像力」なのだ。これをイナリでは「夢見（ユメミ）」と呼んでいる。

白翁老の曰く、

「あると思えばある、ないと思えばない・・」

我々がこれから行うことは「命の目を開く」ことだ

「命の目を開く」というのは、物事を「イノチ（命）の目で見る」ことにある。つまり、これがイナリ奥伝に説く「夢見（ユメミ）」の作法。これは魂の作法だ。これからの時代はこの「夢見（ユメミ）」の実践が最も重要になる。まさにこれを会得することこそが、新たな次元を迎える必須要素となる。

その高位の次元は、第七の鳥居を通過した向こうに広がっている。その鳥居までの夢見の行程は、「第一の鳥居にあたる大地の子宮（エナ）に入り、第二の鳥居である龍女の住む蛇倉龍宮（ジャノクラリュウグウ）の扉を開け、第三の鳥居にあたる現界と霊界の境に立つ白山（シラヤマ）に入り、そこに天津磐境（アマツイワサカ）を敷き立て、そこを次の鳥居を潜る丹庭（タニワ：次元ホール）とし、第四の鳥居である夢殿で慈愛の祈りに入り、第五の鳥居である天楽を奏でる琴弾白洲（コトビキシラス）の響きで耳を清浄にし、第六の鳥居である太陽霊界の神門とされている天香具山（アメノカグヤマ）の岩戸を開き、第七の鳥居とされる高次元界につながる高御位（タカミクライ）に至る」というものである。

人間がその霊性の向上において通過しなければならない第七の鳥居である高御位（タカミクライ）は、光り輝くドーム（イナリ）の形状をしている。そのドームの中から火の鳥（覚醒した魂）は高位の次元に向けて飛び立つと言う。「いついつ出やる籠の中の鳥は・・」の籠の鳥が飛び立つ瞬間である・・。

白山入り
「生命復活の秘儀参入」

夢を見る技術。それを古では「イメミ」と呼んだ。それは「命（イノチ）の目をもって不可視の世界を見る行為」のことだ。これは武道の世界でなら「心眼」、密教の世界で言うなら「魂の目」である。ネイティブアメリカンの世界では、シャーマンの変身呪術であるナワールの術の中にもそれは伝承されるもので、その中心的行法であるところの心を操作する術が「夢見（ユメミ）」である。

この行法はイナリ秘教においてもその根幹となる重要なもので、かつての厩戸皇子（ウマヤドノミコ：後の聖徳太子）も夢殿ではこの「夢見」を行っていた。これを古代中国の神仙術では「存思法」と呼ぶが、それは心の中に描いた像を外の世界に投影し具現化させる業を言う。自分の思い描く印象を対象に被せてそれに自分の意識を同化させ、こちら側の世界観を造りあげることでもある。

そこに「ある」と思う。すると見えない向こうの次元からそれが現れてくる。

人類が新たな次元に意識移入をする際、この「夢見」こそが鍵となる。この「夢を見る技術」は太礼神楽においても重要な修法の一つとなっている。イメージ通りに舞うためである。イメージを行う際、心の中に思い描く姿形が身体に表現されなければならない。それが擬態（ぎたい）の場合、自らが求める姿を見えない世界から招き、その完成に近づけるというものだ。これを古ではワザオギ（俳優伎・態招ぎ・芸招ぎ・技招ぎ・術招ぎ）と呼んだ。神楽の古語である。

この「夢見」、存思法を太礼神楽では「瞑観（めいかん）」と呼んでいる。「瞑観」の方法は、「脳内視覚を以って脳裏に理想的イメージを描く」、「望む情景を心の眼でしっかりと見る」ことにあり、その「描く」、「見る」といった心の作業が「存在する、存在しない」の世界を決める鍵となる。

命の目を開くには「脱魂（幽体離脱）」を選択する

脱魂（幽体離脱）とは、肉体をもったまま霊だけが脱け出る作業を言う。それによって高次元の光明を感得することになるが、この脱魂（幽体離脱）を行うには「タマフリ（振魂）」から始めるのが無理のない安全な方法だ。肉体を細かく振動させることを通じて細胞を振動させ、それが原子レベルでの振動につながり、やがて意識も振動するようになるというプロセスである。

その究極の技法は、石上神宮（奈良県天理市布留町）に伝わる「十種大祓（布留倍之祓）」の祝詞の中にも記される「フルヘユラ（布留倍由良）の秘儀」にある。これは古において「蘇生技法」として伝えられたものだが、イナリ奥伝によると、これは本来、「生命の覚醒技法」であったものが、「生命の創生玄理」となってイナリに伝えられたものだと言う。

話を戻して、それを行うと、突然微細な高波動を放射する生命場（光のドーム）が目の前に出現する。その出現によって脳幹内の松果体が変化し、その変化は霊的な光を生じ、その光が眉間部から発せられるようになり、その光は次々と周囲に伝播し、やがては目覚めようとしている人々に覚醒を促すことになる。

その変化への心身の備えに適切な対処法がある。「マニボディ（丹田を中心とした統

石上神宮
（別名：石上振神宮・布留社）

一体）の形成」である。マニボディは丹田（身体に霊的に存在するエネルギーコア）を中心とした心身の活性化にある。この形成によってどんな状況や変化にもブレない不動の中心を得ることができる。

白翁老の曰く、

「命をその本源の霊域に呼び戻す業、それ則ち、罷（まか）る返しの業、魂の目覚めたるが如し、思いのまま身変自在となす業なり」

つまり「生命の覚醒技法」は、「意識の変容技法」ともなると説く。それこそがわが国に伝わる舞の古態「神楽（かぐら）」であった。筋力を高め、呼吸を深める身体操法で丹田を鍛錬し、さらに、丹舞（タンブ：丹田の活性化を目的とした舞法）と氣の鍛錬によってマニボディを形成する。これによって生命エネルギーの活性化が起こり、宇宙エネルギーの流入と制御も可能となる。

「太礼道神楽伎流の神楽の基本運動法であるところの身体技法教室」では、そのマニボディを形成し、天地の氣（宇宙エネルギー）の流入や流出を自在にすることで生命力を活性化させ、魂の目覚めへと至る方法を伝えている。

そのことから、太礼神楽（太礼道神楽伎流の略）の教室は、舞踊家を目指すものではなく、天地自然と一体になり、高次元界とつながる祈りの舞法とも言うべき「玄舞（げんぶ）」を伝えるものである。

そして「太礼」は白翁老から授かったものである。白翁老は次なる言葉を私に伝えた。

「すべての道は太礼に通ずる」

と・・。

太礼の神楽歌

宇宙大自然は美しい言霊の響きに満ちている。
言霊、それは天界の荘厳な光が織りなす霊波。
虹の輝きが紡ぐ霊智である。
その働きに呼応するように音の魂は、久遠の彼方にまで奏でられていく・・。
これを古の歌人は「言霊の幸ふ」と詠んだのだ。

自然の気、風、空気感、陽光、虹彩を、霊的な呼吸でとらえる感性。
大地の意識、石や水や川の意識、樹木の意識を、霊的な聴覚でとらえる感性。
さらに森を生息域とする動物の息づかいや、草花の息づかい、
森の霊気、山の霊気を、霊的な皮膚感覚でとらえる感性。
あるいは星の煌きを星の精の心、波のうねりを、
海の精の心としてとらえる感性。

その感性、感応する心を育むことこそが、言霊を修める秘訣なのだ。

神々が創り給うた霊の世界は、決してオドロオドロした暗い世界ではなく、彩り鮮やかに光り輝く甘露な世界であり、水鳥の羽毛のように柔らかで軽く、飛ぶ鳥の翼のように自由な世界である。それが本来の霊的な世界である。

そしてそこが魂の本源の世界なのだ。

その美しく麗しい霊的世界が、この肉体の延長線上に実在するのだと、心に深く信じ、自らの魂の感じるままに、自らの体の動くままに身を任せて、無心に、ただ無心に、舞い踊ってみよう。それが本来の神楽舞。

それが舞の本質。そしてその感性は言霊の秘義でもある。

その本源は実は同じなのだ。

目を開きても、凝視することはなく、あるいは何かに対して念を凝らさず、思いはただひたすらに空となりて、我が心身に翼ありと純粋に信じ、かつ龍のごとく天地を呑み込め。

地の気天の気　練り繰りて
くるりくるくる　くるりくる
魂（タマ）はくゆりて　身（ミ）もゆらり
ふるへゆらゆら　揺らかし給え

天を仰ぎ　地を抱きて
くるふるゆらと　四方（ヨモ）巡り
天地（アメツチ）わが身が　解け合いて
ゆるりゆるりと　廻り給え
魂（タマ）に感じつ　身（ミ）の応ずるままに
ひらりひらひら　ひらふわり
しなりふわりと　舞い給え

息気（イブキ）を用いて　すうー　はあーっと
神の息吹（イブキ）を放ち給え
仁手（マナテ）を使いて　ひれひれと
ひらふるひれと　祓い給え

太礼神楽　言魂の　響きは天地を貫かん
ささ　いざやいざ　はあーすうーー
すーーうーーおーーあーーえーーいーーむ
深く祈りに入りゆく
深遠なる魂の　玄妙なる舞なればなり

これが「太礼神楽」の境地である。合氣道の開祖である植芝盛平翁はあるとき、「合氣道はやめた」と宣言され、武産合氣、神楽舞、祈りへ移って行かれたと言う。その心は「見えないもの、聞こえないもの、言葉にならないものを感じとり、心の奥底に眠れる真の声を聞く魂の業を養い、自らの身のすべてを天に預け、神氣あるいは命に乗りのること」にあった。これが合氣道の究極にある合氣神楽である。そこにすべての人や自然・宇宙（神）と結び合う道がある。

「天の理によってすべての邪気を禊祓い、これをもって地に平和をもたらす。この業こそが真の武の道なのである」と、この合氣の道の真髄を植芝盛平翁はこのように門下の人々に説いたと言う。合氣神楽は即ち、邪気を祓い（ハライ）、禊ぎ（ミソギ）を行なう舞伎（マイワザ）である。太礼神楽は植芝盛平翁の舞った合氣神楽とその本源を同じくするものであり、合氣の転じた愛氣の神楽舞でもある。その神楽舞は常世（トコヨ）を想う慈愛の心にて、心身を円う（マロウ）に包み込みながら、龍神の躍動にある潮の働きに似て心身を清（スガ）しくする。またそれは、心の岩戸をゆっくりと開いていく天の岩戸開きの神業ともなる。これが、白翁老が私に示したサルタの伎（わざ）とウズメの解放の伎（わざ）が一体となった太礼神楽（太礼道神楽伎流の略）の伝えるところの天地和合の玄舞である。

風を呼び

龍を招く

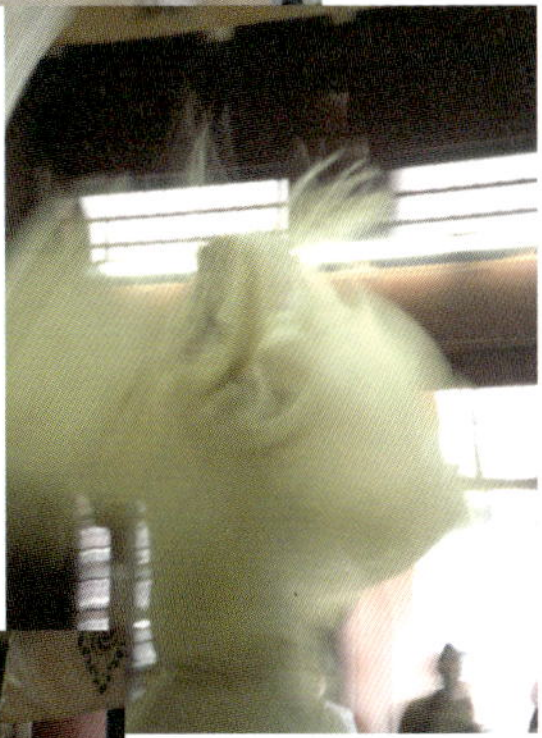

おわりに

最後に、私の主宰しております「太礼道神楽伎流（正式名称：太礼範愛氣和道神楽伎流、通称：太礼神楽）」について少し話をさせて頂きたいと思います。

太礼道神楽伎流の「太礼（たいれい）」とは、「神我一如」「即天」の状態を表すもので、この状態にあることをイナリ古道では「フトノリ」と教えています。そしてこれを感得する道の一つに「神楽（かぐら）」があります。

「天と共に生き、地と共に成り、その命を神と共に楽しむ」。その状態にあることこそが、天地（アワ）の生成（イナリ）の神楽伎（かぐらぎ）です。

その状態にあると、自然に神氣は発動し、身体は玄妙な動きを始めます。これを神能玄舞（かんのうげんぶ）と呼んでいます。「太礼神楽」はこれです。

私はこの神楽の指導に従事する者で、この神楽舞の身体操法を心身修養のボディワークとして構成し直して、その普及活動にも努めており、それを「かぐらサイズ教室」として、京都・奈良・信州の各所で開講しています。

「太礼神楽」を長く修していると実に不思議な出来事に遭遇するもので、その神楽の縁からか、今から数十年前、稲荷山の老翁との出会いがあり、その老翁から授かった深遠なる教えと、これまで玄舞を追求する中で私が体験したことや、形而上的な秘教学から得たことを世の中に伝え残したいという思いに駆られ、それが五年ほど前のことでして、「イナリコード」の講演はその試みとして始めたものです。

その講演は京都に始まり、奈良、名古屋、信州、東京の四カ所で開催し、現在は、講演会場は特定しておりませんが、年四回の開催は定例となっています。

講演の内容については、第一弾「イナリコード Part1／稲荷に隠された暗号・・稲荷のシンボル編」、

第二弾「イナリコード Part2／稲荷に隠された暗号・・天地創生神話編」、
第三弾「イナリコード Part3／黄泉に眠れる気高き龍蛇の神・・龍神伝説編」、
第四弾「イナリコード Part4／アマテルの封印は解かれた！・・蛭子神話編」、
第五弾「イナリコード Part5／天空の扉はいつ開かれるのか？・・天の鳥船編」、
第六弾「イナリコード Part6／霊命の階段、至天の鳥居！・・霊性の目覚め編」、
第七弾「イナリコード Part7／籠の鳥のゆくえ、明日香麗し・・カゴメ歌編」、
第八弾「イナリコード Part8／龍宮への参入、火の鳥の目覚めへ・・火の鳥編」、
第九弾「イナリコード Part9／月の雫、白鳥、永遠の生命への誘い・・白鳥編」、
第十弾「イナリコード Part10／イナリシャンバラ、摩尼宝珠の秘密・・明星天子編」という流れで開催してきました。

講演は一旦これで打ち止めとして、その流れの中でのこの度の出版に至った訳ですが、できれば今回の出版を始めとしてシリーズとなれば幸いです。日本の古き伝統の根幹はイナリにあるといっても過言ではないでしょう。イナリを知れば天地の成り立ち、生命の成り立ち、国の成り立ち、人類及び世界の行く末が見えてきます。

この書を世に出す者として、この書が現代人への警鐘となりますことを、この書が人類を未来に誘う羅針盤となりますことを切に願うものです。

この度の出版にあたっては、言葉には言い表せないほどのご尽力を頂いた太礼道神楽伎流後援会「翁寿会」内田力会長に心より御礼を申し上げます。天の計らいなのでしょうか？　誠に奇しき縁を頂いたことに深く感謝する次第です。

摩尼宝珠は解き放たれた！

著者紹介

太礼道神楽伎流 宗家 丹阿弥　久世東伯

1990年より京都伏見の稲荷山の神仙「白翁老」より「イナリフトノリ」の指南を受ける。
2006年に京都にて太礼道神楽伎流を旗揚げ。
以後、数々の太礼神楽の祭礼を執り行うと共に、2007年より神楽舞の動きを基礎にしたワークの伝授のため教室を展開。同時に講演活動、執筆活動に従事。

イナリコード　——稲荷に隠された暗号——

2015年10月27日　初版第1刷発行

著　　者　久世東伯（くぜ とうはく）

編集協力　株式会社コドウ
　　　　　株式会社ムーンフォックス

発 行 者　高橋秀和
発 行 所　今日《こんにち》の話題社《わだいしゃ》
　　　　　東京都品川区平塚2-1-16 KKビル5F
　　　　　TEL 03-3782-5231　FAX 03-3785-0882

印刷・製本　ケーコム

ISBN978-4-87565-626-5　C0011